La collection « Ado »
est dirigée par Michel Lavoie

Les perce-neige ne fanent jamais

L'auteure

Varennoise et fière de l'être, Sabrina Poulin étudie au Collège de Maisonneuve en sciences, lettres et arts. Bien qu'elle s'intéresse à tout, elle a toujours vu à travers l'écriture et la littérature un moyen de s'évader et d'exprimer des émotions trop longtemps refoulées. Elle aime s'engager dans diverses activités scolaires, écrire des articles pour les journaux étudiants, peindre, bouquiner, faire du sport, voyager, passer des moments de qualité avec ses amis et sa famille... bref, elle est convaincue qu'une vie équilibrée ne peut qu'alimenter l'imagination ! Elle vous présente fièrement son premier roman et espère que d'autres suivront !

Vents d'Ouest

ado | drame

Sabrina Poulin

Les perce-neige
ne fanent jamais

Catalogage avant publication de Bibliothèque et Archives nationales du Québec et Bibliothèque et Archives Canada

Poulin, Sabrina, 1993-

Les perce-neige ne fanent jamais

(Ado ; 93. Drame)
Pour les jeunes de 12 ans et plus.

ISBN 978-2-89537-206-6

I. Titre. Collection: Roman ado ; 93. III. Collection: Roman ado. Drame.

PS8631.O94P47 2011   jC843'.6   C2011-941309-4
PS9631.O94P47 2011

Nous remercions le Conseil des Arts du Canada de l'aide accordée à notre programme de publication. Nous reconnaissons l'aide financière du gouvernement du Canada par l'entremise du Fonds du livre du Canada pour nos activités d'édition. Nous remercions également la Société de développement des entreprises culturelles, la Ville de Gatineau ainsi que le CLD Gatineau de leur appui.

Dépôt légal - Bibliothèque et Archives nationales du Québec, 2011
Bibliothèque et Archives Canada, 2011

Révision : Raymond Savard
Correction d'épreuves : Renée Labat

Éditions Vents d'Ouest
109, rue Wright, bureau 202
Gatineau (Québec) J8X 2G7
Courriel :   info@ventsdouest.ca
Site Internet : www.ventsdouest.ca

Diffusion Canada : PROLOGUE INC.
Téléphone :   450 434-0306
Télécopieur :   450 434-2627

Diffusion en France : Distribution du Nouveau Monde (DNM)
Téléphone :   01 43 54 49 02
Télécopieur :   01 43 54 39 15

À toi, cher grand-papa,
qui as toujours su veiller
sur ta famille et pour qui
l'occasion de vivre pleinement ses rêves
était le plus beau cadeau
qui puisse nous être offert.

Nulle amie ne vaut une sœur.
Christina ROSSETTI

*Toutes les familles heureuses
le sont de la même manière,
les familles malheureuses
le sont chacune à leur façon.*
Léon TOLSTOÏ
Anna Karénine

*La famille !...Impossible de vivre avec,
et impossible de naître sans.*
Allan GURGANUS

Gabrielle

GABRIELLE ouvrit la fenêtre et les volets de la mansarde. Elle jeta un coup d'œil sur Place de la Palud, où des ombres reprenaient peu à peu leurs droits. Lausanne resplendissait, le soleil disparaissait lentement derrière les toitures en ardoise, sur lesquelles se reflétaient les dernières lueurs orangées du couchant. Des nuages ourlés de pourpre et d'or se dessinaient dans ce tableau paradisiaque qui avait, depuis longtemps, perdu le don de la faire rêver.

La jeune fille contourna machinalement sa table de travail et se laissa choir sur sa chaise d'ordinateur. D'un mouvement du menton, elle écarta une mèche de ses yeux et tâtonna sous son bureau avant d'en retirer un billet pour les *NY 701* et une fausse carte d'identité, qu'elle glissa dans son portefeuille. Elle sentait l'excitation naître en elle, tout en songeant qu'elle ne pourrait jamais se passer de l'adrénaline que lui procuraient ses escapades nocturnes. Par contre, le fait que son père ait eu connaissance de son petit manège mais persistât à demeurer passif commençait à l'agacer. Le jeu perdait de son attrait, c'était trop simple avec un homme aussi naïf, aussi détaché. Mais bon, qu'en avait-elle à faire, il n'était plus dans ses jambes, elle ne pouvait que s'en réjouir, non ? Le monde lui appartenait, il ne lui restait plus qu'à se l'approprier.

Elle se contempla dans la glace où son reflet lui rendit son sourire. Elle tortilla un moment une mèche de cheveux noir corbeau autour de son doigt. Lentement et bien malgré elle, son regard dériva jusqu'à une ancienne photographie, placée sur sa table de chevet. Rares étaient ceux qui pouvaient établir un lien entre elle et la fille du cliché, avec ses longs cheveux auburn et ternes, ses yeux verts et son sourire innocent. N'importe qui l'aurait prise pour une cousine éloignée ou bien une jeune sœur, tellement l'image était loin de la réalité.

D'un geste vif, l'adolescente tourna le cadre contre le bois éraflé et siffla entre ses dents :

– Ne me regarde pas comme ça !

Bien qu'elle sût son passé derrière elle, il refaisait parfois surface sans prévenir. Des bribes de souvenirs jaillissaient au détour d'une rue, à la vue d'une photo, d'un visage. À ces moments-là, elle sentait plus que jamais le contrôle de sa vie lui échapper.

Gabrielle tourna de nouveau le cliché vers elle, mais plus délicatement, cette fois. Lorsqu'elle observait son air candide, emprisonné derrière la vitre poussiéreuse qu'elle s'abstenait bien de nettoyer, elle ressentait un certain malaise. Pendant un instant, elle soutint le cadre au-dessus de la poubelle, avant de soupirer, résignée, et de le placer dans un tiroir.

Gabrielle secoua vigoureusement la tête, comme pour remettre ses idées en place. Que lui arrivait-il? Elle était plus solide habituellement. Dans moins d'une heure, elle serait au concert du siècle et rien ni personne ne l'empêcherait de s'éclater.

Revenue à un meilleur état d'esprit, elle ouvrit le battant de sa penderie. Un oreiller et quelques cintres dégringolèrent, mais elle les évita par réflexe. Elle se saisit en hâte d'un minishort en jean à l'ourlet effiloché qui traînait sur le sol, duquel elle balaya les moutons de poussière, ainsi que d'un bustier noir avant de refermer la porte d'un coup sec. Elle agrémenta sa toilette d'une ceinture de chaînes argentées, mettant ainsi en valeur son ventre plat et bronzé et l'anneau dans son nombril. Enfin, elle s'assura que le pendentif sphérique qui ne la quittait jamais était bien en place.

Elle était en train d'appliquer son mascara lorsqu'un bruit sourd la fit sursauter. Une traînée noire s'étira sur sa tempe. Elle lança un juron. Elle fit volte-face et se pencha pour saisir un petit caillou blanc, qu'elle tritura entre ses doigts. Elle esquissa un sourire. Son amie était en avance. Son petit doigt lui disait qu'un mec était responsable de son empressement. Tamara espérait sans doute le retrouver avant le début du concert, la foule devenant alors si dense qu'il était quasi impossible d'y reconnaître qui que ce soit parmi les danseurs déchaînés. La soirée s'annonçait intéressante.

L'adolescente retoucha en vitesse son maquillage, enfila ses escarpins et en noua les cordons autour de ses chevilles, avant de changer d'idée et de les balancer à l'autre bout de la pièce, les troquant contre ses *converses*, beaucoup plus pratiques. Elle saisit son sac ainsi que son portefeuille et jeta un coup d'œil par la fenêtre. Tamara, deux étages plus bas, lui envoya un petit signe de la main.

Gabrielle sortit par la fenêtre et descendit le long des supports de bois qui soutenaient le lierre et les clématites. Ils tanguèrent un peu, mais tinrent bon. Après tout, ils étaient habitués ! Elle sauta avec souplesse, ses pieds heurtant le sol sans un son, et atterrit juste devant Tamara qui commençait apparemment à s'impatienter.

– Qu'est-ce que tu fichais ?

– Rien de particulier. C'est toi qui es en avance. Tu dois rejoindre quelqu'un, peut-être ? fit-elle avec un sourire mutin.

– Ne dis pas n'importe quoi ! répliqua-t-elle en expédiant d'un geste de la main ses longues boucles dorées derrière son épaule.

– T'as mis le paquet, pourtant !

Gabrielle était impressionnée par les efforts qu'avait déployés son amie pour coiffer ses boucles blond platine, habituellement en désordre. Si effectivement un garçon l'attendait, il ne serait pas déçu. Et puis, l'apparence de Tamara était bien soignée, tout à coup. Elle qui aimait se vêtir à la garçonne, avec des jeans informes et des t-shirts trop grands, arborait une tenue plus que féminine.

– Tu connais la tactique, Tam, lui dit Gabrielle avec un ton de reproche. Fais-toi désirer…

– Ou ton jeu sera dévoilé, oui, je sais, compléta Tamara avec un soupir de lassitude. Mais puisque je te jure qu'il y a personne !

– Il en vaut la peine au moins ? Je rêve ou c'est un nouveau chemisier ? Et ce jean, il sort d'où ? Je croyais que t'avais pas un sou ?

– Tu vas arrêter à la fin ? C'est ma mère qui me les a offerts pour… pour… rien, en fait. Tu la connais : profitons de la vie : dépensons tout de suite ! Alors, la ferme et marche, ou on va être en retard !

Gabrielle pouffa, mais ne répliqua pas, bien qu'elle fût particulièrement amusée de son comportement. Elle ne souhaitait cependant pas qu'elle la boude pour une chose aussi futile. Elle était depuis longtemps consciente du tempérament colérique de Tam, qui ne différait pas tellement du sien. Deux têtes de mule, selon leurs enseignants.

Le mini-entrepôt, recyclé en salle de concert pour l'occasion, était déjà plein à craquer et, lorsqu'elles arrivèrent, une file d'attente s'était déjà formée devant l'entrée où deux hommes vérifiaient les laissez-passer. Elles durent patienter une quinzaine de minutes avant d'entrer. Des dizaines de jeunes avaient déjà envahi la piste de danse et formaient une mêlée compacte, illuminée par l'éclat bleuté des stroboscopes. La musique était assourdissante et Gabrielle sentit son cœur s'accorder au rythme de la basse.

Sans plus attendre, elle se fondit dans la foule, faisant onduler son corps au rythme de la musique. Elle sourit à peine en sentant les regards fixés sur elle. On l'avait déjà complimentée maintes fois sur ses talents de danseuse et elle n'avait plus besoin qu'on les lui confirme. La première fois qu'un garçon lui avait dit qu'elle dansait bien, elle avait rougi, gênée. Elle était allée s'asseoir à une table éloignée de la piste. Pourquoi ce compliment l'avait-il dérangée à ce point? Elle l'ignorait toujours. Aujourd'hui, elle désirait se montrer indifférente à tout.

Comme pour se le prouver, elle mit plus de sensualité dans ses mouvements et quelqu'un la traita d'allumeuse. Faisant fi des commentaires salaces lancés ici et là, elle laissa la musique prendre possession de son corps et ferma les yeux, ignorant les autres danseurs.

Lorsque la musique se tut et que le DJ annonça la venue de *NY 701*, Gabrielle quitta enfin la piste pour se réfugier dans le coin le plus reculé de la salle alors plongée dans l'obscurité. Elle pouvait sentir la chaleur qui irradiait de son corps, les gouttes de sueur perlant de son front. Des relents de transpiration, de bière et de marijuana commençaient à lui monter à la tête, prête à éclater sous le tempo continu de la basse. Le bâtiment d'acier et de tôle était devenu une vraie fournaise. Combien de temps avait-elle dansé ainsi ? Il lui était impossible de lire l'heure sur sa montre. Machinalement, elle leva les yeux vers les étoiles, visibles à travers la bouche d'aération du plafond. Les paroles du chanteur à la voix grave et suave lui parvenaient difficilement, étouffées par le martèlement du sang contre ses tempes. Craignant de suffoquer, elle quitta l'entrepôt, jouant des coudes afin de se frayer un passage jusqu'à la porte.

Durant sa lente progression vers la sortie, elle croisa plusieurs couples enlacés sur les fauteuils. Ils s'embrassaient. Avant de baisser les yeux, Gabrielle crut apercevoir le chemisier bleu azur de Tamara, assise sur les genoux d'un garçon, mais elle ne prit pas la peine de vérifier s'il s'agissait bien d'elle.

Elle franchit la porte en poussant un soupir de soulagement, suivie par le regard inquisiteur du vérificateur de billets. En écoutant la musique, elle s'autorisa un petit sourire amusé malgré sa nausée. Les *NY 701* étaient en train de chanter leur plus grand succès. Et vu le prix des billets, il était normal que l'homme la fixe bizarrement…

Pour venir, Tam l'avait conduite dans la vieille Peugeot déglinguée de son père. Cependant, Gabrielle ne tenait pas à attendre que son amie et son Roméo décident de quitter le concert pour rentrer, ni à rester là, à les regarder se peloter. Elle se trouvait à environ cinq kilomètres de la ville. Il n'était pas question qu'elle se tape tout le trajet à pied. Au bord de la route d'Oron, des phares l'éblouirent, et elle hésita à peine avant de lever les deux mains pour faire signe au conducteur. Elle allait devoir se résigner à jouer l'auto-stoppeuse, ce qui l'amena à reconsidérer une nouvelle fois les avantages de posséder une voiture. Elle ne voyait pas cet achat d'un bon œil : cela l'obligerait à se trouver un travail qu'elle ne saurait garder qu'une semaine tout au plus. Elle avait horreur des ordres !

Le conducteur, un travailleur lessivé qui lui avait à peine adressé un mot de tout le trajet, la laissa à la lisière du bois de Sauvabelin, car il devait piquer vers le nord, alors qu'elle souhaitait prendre la direction opposée. Elle le remercia et reprit la route, l'esprit beaucoup moins embrumé.

Le fait de s'être éclairci les idées lui avait aussi fait prendre conscience qu'elle n'était pas encore prête à rentrer chez elle. Rien ne pressait. Plongée dans l'obscurité, l'absence de lune n'aidant pas, elle avait presque atteint l'extrémité sud du bois quand elle fut saisie d'un frisson. Le vent s'était levé. Elle serra les bras autour de son torse, recherchant dans ce geste un peu de chaleur. En levant les yeux au ciel, elle ne distingua pas les étoiles qu'elle avait aperçues pendant le concert, sans doute camouflées par les nuages poussés au-dessus de la ville par les violentes bourrasques. Une goutte tomba sur sa joue, bientôt suivie d'un autre. La petite averse ne tarda pas à se muer en pluie torrentielle et Gabrielle fut bientôt trempée de la tête aux pieds.

Elle se mit à courir, malmenée par les vents et les trombes d'eau. Il lui fallait dénicher un abri au plus vite. Elle courut en tentant avec plus ou moins de succès de se protéger, ayant depuis longtemps abandonné l'idée d'éviter les flaques d'eau. Soudain, elle aperçut la silhouette massive du Palais des miroirs, un édifice circulaire délabré qui avait autrefois servi pour des fêtes foraines. Elle plongea sous le couvert des arbres et s'y dirigea en doublant la cadence. Éreintée, elle parvint à la porte, qu'elle trouva verrouillée. Ce n'était pas la première fois qu'elle entrait ici par effraction. Habituellement, elle s'y rendait tard le soir, accompagnée d'une bande d'amis pour fumer un joint.

Elle retira deux épingles de ses cheveux et les glissa dans la serrure rouillée. La tête lui tournait. Ce n'était pas bon signe. Un cliquetis se fit entendre. Gabrielle poussa la porte qui s'ouvrit en grinçant sur ses gonds. Elle ne prit pas la peine de la refermer, fit quelques pas et s'écroula lourdement. Elle porta la main à sa taille, mais ne trouva rien. Évidemment, dans sa hâte de quitter le concert au plus vite, elle avait oublié son sac... Elle sombra dans l'inconscience.

Sept ans plus tôt

– *Gaby, ma puce, as-tu vu mes lunettes ?*

– *Non, maman ! Si, je les vois ! Elles sont sur ta tête !*

– *Ah ! tu as raison. Je les avais oubliées.*

– *Tu as aussi oublié Élo, non ?*

– *Non, non… La garderie ouvre plus longtemps aujourd'hui.*

Pourtant, tu as quitté si précipitamment que je me suis posé des questions quant à la véracité de tes paroles.

Puis, c'était le tour de ton portefeuille, de tes dossiers, de tes mots de passe. On attribuait tes pertes de mémoire au stress de ton travail de PDG dans une importante entreprise de soins de beauté.

Ensuite, tu as commencé à avoir des maux de tête et des nausées, tu nous disais que des abeilles bourdonnaient dans ta tête. Oh ! que je détestais ces migraines qui te forçaient à t'enfermer dans ta chambre pendant des soirées entières. J'étais fâchée contre toi, parce que je n'aimais pas m'occuper d'Élo et que papa arrivait tard. Je ne comprenais pas. Personne ne pouvait répondre à mes questions. *Ou personne ne voulait.*

Un soir, alors que j'avais onze ans, tu es venue dans ma chambre. Je boudais parce que tu avais oublié Pâques et que toutes mes copines avaient reçu du chocolat, sauf moi. Je t'en voulais énormément, jusqu'à ce que tu viennes t'asseoir sur mon lit et que tu me tendes une jolie boîte. Je l'ai prise, curieuse. À l'intérieur, il y avait un bout de papier. Je t'ai demandé ce que c'était et tu m'as répondu que c'était un bon-cadeau, qu'ainsi je pourrais avoir les chocolats de mon choix et que tu viendrais les choisir avec moi.

– Sans Élo ? ai-je demandé, en séchant mes larmes.

– Sans Élo, m'as-tu confirmé. Juste toi et moi.

Je t'ai donné un gros câlin et tu me l'as rendu. Tu as ouvert la bouche, comme pour dire quelque chose, puis tu t'es ravisée. Tu es sortie en fermant la porte derrière toi.

Un peu plus tard cette nuit-là, je me suis réveillée. J'avais dû faire un cauchemar. Je me suis dirigée vers ta chambre, loin de me douter que j'étais pour vivre un vrai cauchemar, éveillée cette fois.

La porte était fermée. J'allais l'ouvrir quand j'ai entendu des pleurs. Élo ? Non, c'était plus grave, plus étouffé. J'ai fini par comprendre que c'était papa. Papa ? J'étais intimidée, papa ne pleurait jamais, lui. Toi non plus, d'ailleurs. Je n'ai jamais compris pourquoi Élo était si

pleurnicheuse. Ce n'était certainement pas géné-
tique.

Ensuite, j'ai honte de l'avouer, j'ai écouté à
votre porte. Ce que vous disiez me parvenait par
bribes, mais il n'en fallait pas plus.

– … tu es sûre ? (…) Ça a commencé pareil
pour ta mère, tu dis ? On va… on va s'en assurer
en premier, pour être sûrs…

Au lieu d'aller me glisser sous les couvertures,
je me suis laissée glisser contre le mur. Grand-
maman était morte alors que j'avais seulement
six ans et tu avais des raisons de penser que tu
étais atteinte, toi aussi, de la même maladie.
J'étais effrayée par les derniers mots de papa. Je
suis restée assise là, les yeux au plafond, je t'ai
écouté pleurer et papa te rassurer. Au petit
matin, papa m'a trouvée assoupie et, sans un
mot, m'a portée jusqu'à mon lit.

Trois jours plus tard, tu as fait une violente
crise d'épilepsie qui t'a menée droit au centre
hospitalier de Lausanne. Quelques jours plus
tard, le diagnostic tombait : glioblastome multi-
forme entre les deux hémisphères du cerveau,
ablation impossible. Tu n'as presque pas réagi.
Cela m'a effrayée, d'autant plus que je connais-
sais les ravages d'une tumeur au cerveau. Eh
oui ! J'avais onze ans et j'étais très informée !
Pour en revenir où j'en étais, ta première réac-
tion a été de nous cribler de tests pour vérifier
notre état de santé, à nous, tes deux filles. Tu
t'inquiétais plus pour nous que pour toi, comme
si tu savais quelque chose que nous ignorions.

Ta seconde réaction a été de refuser les traitements. Tu ne me l'as pas dit, mais cette décision a occasionné de nombreuses disputes entre papa et toi. Vous pensiez peut-être être discrets, mais ce n'était pas du tout le cas !

Tu avais peut-être refusé les traitements, mais tu prenais quand même des pilules. Ça, je m'en souviens, parce que c'est impossible à oublier. Il y en avait des rondes, des ovales, des carrées, des bleues, des vertes, des blanches, des rouges. Certaines étaient à prendre aux trois heures, d'autres la nuit, d'autres le jour. Tu jouais à nous faire deviner laquelle tu devais prendre, sauf que, à la fin, il fallait consulter la prescription, parce que tu avais oublié.

L'hiver de mes douze ans, tu ne travaillais plus depuis belle lurette et ton état « chutait de plus en plus vers les bas-fonds », selon Suzie, la voisine médecin qui venait t'examiner de temps en temps sur les instances de papa, et qui ne souhaitait pas que je comprenne ses dires. Mais il ne suffit pas de parler savamment pour échapper à la compréhension d'une enfant, presque une adolescente. Cependant, malgré ses recommandations, tu refusais d'aller « pourrir dans une chambre d'hôpital triste à mourir », comme tu le disais si bien. Je riais quand tu t'engueulais avec elle. C'est qu'elle t'aimait bien, Suzie, malgré ton caractère irascible.

Au printemps, tu as été hospitalisée. Tu avais fait une violente rechute, ton cœur a même cessé de battre, mais ils t'ont ramenée à la vie. Ou à *ce qu'ils croyaient être la vie. La première fois que j'ai voulu te rendre visite, je ne me suis pas rendue dans ta chambre. Devant la porte close, j'ai entendu des hurlements hystériques. Tu voulais qu'ils en finissent sur-le-champ. Mais ils refusaient. Finir quoi? Je n'ai pas compris tout de suite. Les médecins sont sortis et une infirmière m'a ordonné de m'éloigner. J'ai eu beau lui expliquer que j'étais ta fille, elle n'a rien voulu entendre.*

— Pas en état de recevoir des visites, a-t-elle conclu en me conduisant à la réception.

Je suis sortie bredouille, sans même une esquisse de sourire à me remémorer. Ce soir-là, j'ai pris une ancienne photo de toi. Je désirais la reproduire, avec les fusains que tu m'avais offerts à Noël. Je n'étais pas très douée, mais je m'en fichais éperdument. Tu voulais en finir, tu l'avais dit toi-même à l'infirmière. J'avais si peur que tu meures que j'ai réalisé plein de croquis de toi. Je les ai collés au mur de ma chambre, persuadée qu'ainsi, tu resterais toujours avec moi.

Le lendemain, j'ai osé retourner à l'hôpital, me disant que tu devais aller mieux.

La porte de la chambre était entrouverte. Je suis entrée, avec mon bouquet de jonquilles à la main. Je savais que c'était tes fleurs préférées, puisqu'elles étaient les premières à faire surface après les perce-neige.

« Ce sont les plus courageuses, me disais-tu en parlant de ces petites fleurs blanches. Elles

ouvrent la voie aux jonquilles qui, elles, étalent leur beauté sous le soleil neuf. »

J'ai franchi la porte avec réticence. Je m'attendais à un sourire, à une parole réconfortante. Ton regard voilé m'a à peine effleurée avant de se porter sur un point imaginaire, au-dessus de mon épaule gauche. Je me suis mordillé la lèvre inférieure, indécise, avant de tenter une autre approche :

– Je suis Gaby, maman. Je suis ta fille !

Ces derniers mots, je les avais presque hurlés. La femme méconnaissable, étendue sur le lit trop grand pour son corps décharné, m'a observée un instant.

Une infirmière est arrivée et m'a reproché de crier. J'ai tourné les talons et je me suis enfuie.

J'ai couru à l'aveuglette car je pleurais trop, avant de m'arrêter près du Palais des miroirs. Ma gardienne m'attendait tout près avec Élo, mais je m'en fichais. Ce soir-là, j'ai fumé mon premier joint, offert par un type qui rôdait dans les alentours. « Tu vas voir, m'a-t-il dit, tu t'souviendras même plus pourquoi tu pleurais. » On m'avait conseillé de me méfier des gars comme lui, mais il avait raison. Il n'était pas malintentionné et il me comprenait. Sa copine l'avait largué pour son meilleur ami. Alors, nous avons fait comme maman, nous avons oublié. Après, il m'a même raccompagnée chez moi.

Perce-Neige

L E RÉVEIL fut brutal. Le front couvert de sueur, Gabrielle voyait encore, imprimées sous ses paupières, les dernières images d'un rêve, celui-là même qu'elle refaisait à chacune de ses crises. Il lui semblait que plus elle mettait d'acharnement à oublier son passé, plus son subconscient se chargeait de le lui rappeler dans ses moments de vulnérabilité. Elle n'avait aucune souvenance de l'endroit ni du moment où elle avait perdu connaissance. Tout ce dont elle se rappelait, c'était ce rêve, cet horrible rêve qui l'avait replongée dans son enfance tragique. Ce drame s'était produit cinq années auparavant et elle l'avait pourtant cru effacé, mais les cauchemars revenaient avec une régularité déconcertante.

– Tu as bien failli y rester, toi!

La jeune fille sursauta. Un homme venait de s'adresser à elle. Elle tourna vivement la tête, mais le regretta aussitôt. Une douleur lancinante lui parcourut le crâne et lui secoua l'échine, pour s'éteindre en un pincement dans ses orteils. Bon sang! Mais où était-elle donc?

– Ça va?

L'homme apparut dans son champ de vision. Vêtu d'un sarrau blanc, un peu bedonnant, les tempes légèrement grisonnantes, il devait avoir amorcé la cinquantaine. Le stéthoscope pendu au cou de ce visage bien connu lui confirma ce dont elle se doutait déjà: elle se trouvait à l'hôpital, encore une fois.

Il la fixait d'un regard lourd de reproches. Mais dans ses yeux se lisait une tendresse qu'elle seule savait détecter. Il s'assit sur le rebord du lit.

– Léo… je suis désolée, s'excusa-t-elle. Dorénavant, je serai plus vigilante.

Le médecin poussa un long soupir d'exaspération.

– Tu aurais pu y rester, cette fois. Tu ne m'écouteras donc jamais? Je t'ai dit mille fois de toujours…

– Garder ma trousse sur moi, l'interrompit la jeune fille. Je sais, je connais votre sermon par cœur!

– Mais tu ne m'obéis jamais! répliqua-t-il. Tu aurais… tu aurais pu mourir! Le diabète juvénile, c'est dangereux, et tu le sais! Quelle chance tu as eue d'être secourue par ce jeune homme!

– Un jeune homme? Quel jeune homme?

– Oh! juste un employé de l'entretien des parcs. Mais veux-tu bien me dire ce qui t'est passé par la tête? Que fichais-tu là-bas?

– C'est une longue histoire, éluda-t-elle. Est-ce que j'en ai pour longtemps?

– Heureusement, non. Cet après-midi, tu pourras retourner caracoler avec tes amis toxicomanes.

– Arrêtez ! lui reprocha-t-elle en se redressant sur ses coudes au prix d'un immense effort. Vous ne devriez pas juger les gens que vous ne connaissez pas. C'est injuste. Ne dites-vous pas vous-même que tout le monde devrait avoir sa chance ? C'est ce que vous leur avez dit, lorsqu'ils ont voulu m'envoyer dans un centre !

– Je sais, je sais, marmonna-t-il pour lui-même. N'empêche, ils ont une mauvaise influence sur toi !

– J'ai fait mes choix, et eux les leurs. Et puis, je ne fume plus de substance illégale, à ce que je sache.

– Mais tu n'as pas l'âge légal pour fumer, ma grande, ne fût-ce que des cigarettes !

– Touchée !

Gabrielle se recala entre les oreillers en riant. Elle aboutissait si souvent à l'hôpital qu'elle en était venue à se lier d'amitié avec un médecin nommé Louis-Edmund Okara, qu'elle surnommait affectueusement Léo. Il lui avait sauvé la vie plusieurs fois, l'avait défendue lorsqu'on avait voulu la placer dans un centre pour toxicomanes, en suppliant son père de lui donner une dernière chance. Ses efforts avaient porté fruit : la jeune fille n'ayant plus jamais touché aux drogues. Elle avait transféré sa dépendance sur une tout autre sorte de cigarette, celle que l'on pouvait quémander à n'importe quel coin de rue.

– Comment as-tu fait ? Je veux dire, pour lâcher la drogue comme ça, du jour au lendemain ? En vingt-cinq ans de carrière, j'ai rencontré peu de patients d'une telle force de caractère.

Gabrielle resta pensive un moment. Elle s'était posé la même question. Pourquoi être ainsi passée de la dépendance au dégoût ? Pourquoi avait-elle réussi là où tant d'autres avaient échoué ?

– Honnêtement, je n'en ai aucune idée. Peut-être qu'une partie de moi, celle qui n'était pas droguée, savait que je me dirigeais tout droit vers un gouffre. Elle savait peut-être que je devais changer de cap. Comme si la seule partie du bateau qui n'était pas gelée était le gouvernail, vous comprenez ?

Gabrielle rougit un peu de son analogie, mais le médecin ne rit pas. Au contraire, il hocha la tête, l'incitant à poursuivre.

– Bref, j'ai su que vous m'aviez donné ma dernière chance, et j'ai décidé de la saisir, malgré la part de moi qui se foutait de tout. Vous étiez un phare et j'étais un bateau à la dérive. Je n'ai que suivi la lumière. C'est aussi simple que ça.

– Tu sais, répondit-il d'un air pince-sans-rire, je suis fier d'avoir été le phare qui a éclairé ta route. J'espère que tu sauras éclairer celle de quelqu'un d'autre, un jour.

Les épaules de Gabrielle furent secouées par un rire qui se termina en quinte de toux, puis elle finit par s'assoupir, portée par des rêves de bateaux à la dérive et de phares surplombant des falaises.

Gabrielle papillota des paupières, réveillée par le soleil de l'après-midi. Après s'être étirée, elle repoussa les couvertures et s'empara de ses vêtements de la veille. Ils étaient froissés, mais secs. Elle les enfila et quitta la chambre aux murs blancs qu'elle trouvait horriblement impersonnelle et froide.

Le corridor s'étirait des deux côtés. Bien qu'elle sût la sortie à sa droite, son numéro de chambre étant impair, elle décida de bifurquer à gauche. « Suis ton instinct, tu peux toujours compter sur lui pour te réserver des surprises, » disait sa mère. Eh bien ! maman, aujourd'hui, je le suis ! songea-t-elle.

Elle longea le couloir et gravit plusieurs escaliers pour se retrouver trois étages plus haut dans l'aile de la pédiatrie, où elle aurait normalement dû être transférée si ses séjours dans l'établissement avaient duré plus de quelques heures. Ce n'était pas la première fois qu'elle venait en ce lieu. C'était ici qu'on lui avait tout appris sur le diabète, cette maladie qu'elle avait du mal à prendre au sérieux et qui lui avait occasionné plusieurs allers-retours entre l'hôpital et sa maison. Son cœur se serra à la vue des murs aux teintes pastel, ornés de dizaines de dessins d'enfants. Et si… Non, c'était impossible. *Elle* détestait dessiner. Gabrielle était bien placée pour le savoir.

Nostalgique, elle s'avança vers la baie vitrée. Le stationnement s'étalait en contrebas, gris et morne, strié de lignes jaunes. On érigeait des hôtels de luxe et des auberges aux abords du lac Léman pour satisfaire aux caprices des touristes, mais on élevait les hôpitaux au cœur de nulle part, comme si les malades n'avaient pas besoin de rêver, de laisser leur regard vagabonder sur autre chose que des rectangles de béton. Les touristes d'abord, les citoyens ensuite !

Une petite main froide sur son bras la fit sursauter. Elle se retourna brusquement. La fille qui l'avait touchée recula son fauteuil d'un bon mètre. Gabrielle esquissa un geste dans sa direction.

– Navrée, je ne voulais pas t'effrayer, s'excusa l'adolescente. J'étais perdue dans mes pensées, tu m'as surprise, c'est tout.

Soulagée, mais toujours un peu réticente, la fille au fauteuil s'avança un peu.

– Oui, ça m'arrive tout le temps. C'est bien de se perdre, parfois. Dans sa tête, c'est bien. Et au moins, on peut se retrouver ensuite.

Un frisson parcourut les frêles épaules de la fillette. Gabrielle prit le temps de l'observer un peu. Assise dans son fauteuil, elle semblait être âgée d'une dizaine d'années. Avec sa large jaquette blanche, ses cheveux d'un blond presque blanc coupés à la hauteur du menton et sa peau d'une pâleur spectrale, elle lui faisait étrangement penser à un perce-neige. Allez savoir pourquoi!

– Que fais-tu ici? osa lui demander Gabrielle. Tu ne peux pas marcher? Tu es malade?

– Oh! non, la rassura la fillette en se levant d'un bond, ce qui fit sursauter Gabrielle une nouvelle fois. Je m'amuse, c'est tout.

– Pourquoi es-tu ici, alors? l'interrogea Gabrielle. Et pourquoi portes-tu une jaquette d'hôpital?

– Papa travaille ici. Quand il travaille la nuit, je dors ici.

– Tu ne dors pas chez toi?

– Non. J'ai peur du silence.

– Ta maman n'est pas à la maison?

– Non, elle est au ciel, comme Nora et Sophie.

– Oh! Je suis navrée, se désola l'adolescente en se mordillant la lèvre inférieure. Qui étaient Nora et Sophie?

– Mes amies. Elles vivaient ici, à l'hôpital, ajouta-t-elle en se hissant sur le rebord de la fenêtre.

Gabrielle, consternée, pesta contre ce père qui laissait sa fille nourrir des amitiés condamnées d'avance. Comment pensait-il qu'elle allait pouvoir être optimiste dans la vie, après une enfance pareille?

– Comment t'appelles-tu ? demanda Gabrielle en s'asseyant à ses côtés.

– Rose-Maïté. Et toi ?

– Je m'appelle Gabrielle. Je…

– Eh ! Rose !

Ce joyeux appel les interrompit. Tournant la tête, Gabrielle vit une jeune fille au teint de pêche s'avancer vers elles, dans une jaquette identique à celle de Rose-Maïté. Sautillant jusqu'à la fenêtre, elle se laissa tomber dans le fauteuil roulant. Elle devait avoir quatorze ou quinze ans.

– Qui es-tu ? demanda-t-elle à Gabrielle d'une manière plutôt cavalière. T'es nouvelle ? Je t'ai jamais vue.

– Je m'appelle Gabrielle. Tu es ici pourquoi ? demanda-t-elle, curieuse.

La jeune fille à la crinière rousse flamboyante plissa son nez parsemé de taches de rousseur.

– Elle va avoir un bébé ! lança Rose-Maïté.

– Tu es… enceinte ? répéta Gabrielle, incrédule.

La fille rousse baissa les yeux et regarda ses doigts entrelacés. Gabrielle interpréta ce geste comme un oui.

Elle aurait dû être heureuse. La fille n'avait ni le cancer ni une maladie incurable. Sa situation n'était pas enviable pour autant. Une boule se forma dans sa gorge. L'idée qu'elle ait pu endurer des drames pires que les siens lui traversa l'esprit.

– Il ne faut pas être désolée. Cet enfant, je vais l'aimer, et puis Rose va être sa marraine, hein Rose ?

Celle-ci opina joyeusement du chef, pendant que la rouquine saluait Gabrielle et s'éloignait.

Après son départ, un court silence s'installa entre Rose et l'adolescente. Une question en particulier brûlait les lèvres de Gabrielle, mais elle n'osait la poser de peur d'être indiscrète. Après réflexion, elle se jeta à l'eau.

– Pourquoi est-ce qu'elle le garde ? Elle aurait pu se faire avorter.

– Je suis au courant. Les médecins voulaient qu'elle le fasse, mais elle a refusé. Je la comprends. Tout le monde devrait avoir sa chance, même ceux qui ne sont pas nés.

Frappée par la justesse et la maturité de ses paroles, Gabrielle se demanda si la fillette n'était pas plus vieille qu'elle en avait l'air. Après tout, elle avait prononcé les paroles fétiches de Léo.

– Quel âge as-tu ?

– Est-ce que c'est important ?

– Je ne crois pas, fit Gabrielle. Simple question de curiosité.

– Le comportement d'une personne envers une autre dépend beaucoup de leur différence d'âge. Quel âge as-tu, toi ?

– Dix-sept ans, répondit Gabrielle en constatant que sa question avait été habilement retournée contre elle.

– J'en ai douze.

Puis, elle remarqua les larmes qui roulaient sur les joues de Gabrielle.

– Pourquoi pleures-tu ?

– Pour quelque chose de très compliqué, dit-elle en reniflant. Mais avant de t'expliquer, j'aimerais te demander une faveur.

– Tout ce que tu voudras, si ça te fait plaisir ! s'exclama Rose-Maïté avec un grand sourire.

Gabrielle plongea ses yeux dans ceux de la fillette. Bleus comme l'océan, ils semblaient si insouciants ! Pourtant, ils auraient dû être tristes, miroir de l'âme de quelqu'un qui a vu trop de malheurs pour son jeune âge. Comment faisait-elle pour être si forte ?

– Le perce-neige est une fleur courageuse, la première à éclore au printemps. Elle est aventureuse et, contrairement à ses semblables, elle est attirée par les premiers rayons du soleil. Elle est un guide pour toutes les autres, un repère. Ma mère me répétait souvent que les perce-neige ne fanaient jamais, mais qu'ils étaient tellement humbles que, à l'éclosion des autres fleurs, ils se repliaient pour leur laisser toute la place, histoire de mieux réapparaître l'hiver d'après !

Gabrielle se tut un moment, un peu hésitante quant à la pertinence de la requête qu'elle s'apprêtait à formuler.

– J'adore ton prénom, il est magnifique, mais me permets-tu de t'appeler Perce-Neige ?

Le sourire de Rose s'élargit encore plus.

– J'adore ça ! C'est le plus beau surnom que j'aie jamais eu ! En fait, je ne me souviens pas d'avoir eu un surnom. Merci !

Heureuse que son idée lui fasse plaisir, Gabrielle la complimenta sur ses beaux cheveux et sur ses traits angéliques. Gênée de tous ces compliments, elle préféra changer de sujet :

– Tu me la racontes, cette histoire compliquée ?

L'adolescente poussa un long soupir et se rapprocha un peu plus de son interlocutrice.

– Le tout s'est passé l'été de mes treize ans...

Éloïse

*L*E PRINTEMPS PRÉCÉDENT, *ma mère était décédée, foudroyée par un cancer juste après la sortie des jonquilles. Aux funérailles, j'avais eu la désagréable impression d'assister aux obsèques d'une étrangère. Ma mère, la vraie, celle qui m'avait vu grandir, celle qui avait partagé mes joies comme mes peines, je lui avais fait mes adieux le jour fatidique où elle ne m'avait plus reconnue, moi, sa propre fille.*

Grâce à une bande d'amis, j'avais découvert la cocaïne. En plus d'oublier ma tristesse et ma rancune, une enivrante sensation de bien-être m'envahissait. Je trouvais cela génial et j'ai fini par en être dépendante. Je payais le tout avec de l'argent volé à mon père. Mes résultats scolaires chutaient, mais je m'en fichais. De toute façon, je n'avais nullement l'intention de travailler. À quoi bon, puisque le portefeuille de mon père m'était grand ouvert ! Celui-ci, depuis la mort de maman, n'était plus que l'ombre de lui-même, un fantôme errant sans but dans une vie trop triste pour lui. Il ne me prenait plus dans ses bras, ne me faisait plus rire pour chasser mes démons.

Les siens prenaient toute la place. La nuit, lorsque je faisais un cauchemar et que je venais me blottir dans son lit, il ne me disait plus :

– Qu'y a-t-il, ma puce ?

Maintenant, il me disait plutôt :

– Dégage ! Tu n'es plus un bébé !

Je retournais dans mon lit, encore plus effrayée.

Un jour, je suis allée au parc avec ma sœur Éloïse. Malgré mes protestations, mon père m'avait obligée à l'amener. Il menaçait de suspendre mon argent de poche dont j'avais absolument besoin. Je ne voulais pas d'elle, parce que c'était mon tout premier rendez-vous officiel. Il s'appelait Tyler Colman. J'avais treize ans, et, dans ma tête, j'allais à la rencontre de l'amour de ma vie.

En plein baiser, mon « amoureux » a reçu un œuf de merle sur la tête. Comme nous étions sous un arbre, j'ai levé la tête et j'ai surpris ma sœur, juchée entre deux branches, un sourire victorieux aux lèvres. Tyler est parti en invectivant la petite peste de quatre ans. Je ne l'ai jamais revu.

J'ai engueulé ma sœur. Jamais auparavant je ne m'étais querellé autant avec elle. Je lui ai jeté toutes les saletés qui me venaient à l'esprit. Je l'ai traitée de conne, d'emmerdeuse, de sale égoïste. Je lui ai crié qu'elle n'était plus ma sœur et que je ne voulais plus jamais la revoir. J'ai même été jusqu'à lui mettre le décès de ma mère et l'éclatement de notre famille sur le dos. Ses grands yeux verts aux longs cils se sont embués de larmes avant que j'aie pu prendre conscience de la portée de mes paroles. Toute la rage que j'avais accumulée avait fini par jaillir d'un seul coup et ma sœur qui, sans le vouloir, s'était retrouvée dans le rôle du catalyseur, en avait payé les frais. Je suis partie en courant. Je n'ai plus jamais, jamais revu ma sœur.

Gabrielle n'essaya même pas de dissimuler les larmes de ses joues. Elle se souvenait des premières heures, que les policiers avaient dites cruciales, de l'avis de recherche au journal télévisé, de la culpabilité qui l'empoignait quand elle apercevait le visage souriant d'Éloïse sur des affiches placardées un peu partout dans Lausanne.

Elle n'avait jamais confié son secret avec autant de détails, même pas à Tam ni à Léo, qui étaient au courant de la disparition de sa sœur. Pourquoi le destin lui avait-il choisi Perce-Neige comme confidente ? Elle l'ignorait, mais la petite main qui traçait de grands mouvements circulaires dans son dos la réconfortait plus que toutes les paroles au monde.

Rose l'avait écoutée jusqu'au bout, sans l'interrompre une seule fois.

– Tu sais, avec le recul, je songe que j'aurais dû remercier ma petite sœur.

– Pour quelle raison ?

– Ce gars était un con, lança Gabrielle en serrant les mâchoires. Qui peut jurer ainsi après une fillette d'à peine quatre ans, à moins d'être totalement sans cœur ?

– Mais c'est pourtant ce que tu as fait, remarqua Perce-Neige.

Elle tournait le couteau dans la plaie, mais Gabrielle ne lui en voulut pas. Cette étape était nécessaire pour apaiser ses remords, sans toutefois les effacer. Ils resteraient à jamais, cicatrices gravées dans sa mémoire. Le pire, quand les policiers étaient venus la questionner, elle avait prétendu qu'Éloïse s'était fait enlever, au lieu d'avouer à son père qu'elle avait abandonné sa petite sœur dans le parc.

– Merde! s'exclama tout haut Gabrielle en se tapant le front, ce qui eut le don de faire sursauter Perce-Neige.

– Quoi? s'inquiéta cette dernière. Qu'y a-t-il?

– Mon père! s'expliqua l'adolescente. Il doit être fou d'inquiétude! J'étais censée rentrer cette nuit! Et Tam! Oh! zut!

Son réveil plutôt brumeux, ainsi que sa rencontre avec Rose, lui avaient fait oublier que ses proches devaient être à sa recherche. Résignée, Gabrielle se laissa glisser du rebord de la fenêtre. Il était temps pour elle de rentrer et d'affronter son père. Elle avait déjà trop tardé. Mais l'idée qu'elle ne reverrait peut-être plus jamais Perce-Neige la rendait étrangement triste. Elle hésitait à partir.

– Tu n'as qu'à repasser un autre jour, si tu veux, proposa Perce-Neige, comme si elle avait lu dans ses pensées. Je suis presque toujours ici l'été, alors…

Le cœur plus léger, elle la salua en lui promettant de revenir la voir, descendit au rez-de-chaussée et franchit les portes tournantes au pas de course.

L'autobus la mena tout près de chez elle, mais elle préféra débarquer un peu avant afin de bien réfléchir à sa façon d'aborder son père. Il serait sûrement à prendre avec des pincettes. Elle aurait bien voulu lui téléphoner, mais son cellulaire était resté au concert, dans son sac.

Perdue dans ses pensées, elle faillit se heurter contre un homme qui l'évita de justesse en faisant un pas de côté. Malheureusement, un coupé sport jaune qui roulait à tombeau ouvert passa au même moment dans une flaque d'eau et l'homme se fit asperger.

Gabrielle, qui s'était arrêtée, se répandit en excuses, tout en lui tendant quelques mouchoirs en papier. À son grand désarroi, l'homme, ou plutôt, l'adolescent, éclata de rire à leur vue. Gabrielle rougit, tant elle était embarrassée.

– C'est gentil, mais ce n'est pas ça qui va m'aider, dit-il en retirant sa veste dégoulinante et en la tordant.

– Je te paye le nettoyage, si tu veux, offrit Gabrielle dans l'espoir d'obtenir son pardon.

– Inutile. Eh! tu ne serais pas la fille du Palais des miroirs? demanda-t-il soudain.

– Ça dépend ce que tu veux dire par là.

– T'inquiète pas, je n'ai pas l'intention de te dénoncer, la rassura-t-il. Je voulais seulement savoir si c'était toi, la fille que j'ai portée dans mes bras jusqu'à l'hôpital.

Gabrielle écarquilla les yeux en se rendant compte qu'elle était en face du jeune homme dont lui avait parlé Léo.

– C'était toi! s'exclama-t-elle. Mais tu m'as vraiment portée jusqu'à l'hôpital, pendant près d'un kilomètre, à la pluie battante? fit-elle, suspicieuse, en détaillant son corps fluet, ses bras longs et minces et ses jambes, tout aussi fragiles.

– Ouais, affirma-t-il en prenant un air supérieur.

Gabrielle haussa les sourcils, pas du tout convaincue.

– En fait, non, avoua-t-il, piteux. Comme j'étais le dernier employé du parc ce soir-là, j'ai fermé à clef tous les bâtiments avant de retourner chez moi, pour m'apercevoir que j'avais oublié mon ordi portable au Palais des miroirs. Comme j'en avais besoin pour mes cours, j'y suis retourné. Je t'ai aperçue, affalée par terre et le teint livide. J'ai d'abord cru que tu étais morte et j'ai songé à m'enfuir, pour ne pas être accusé de meurtre, ajouta-t-il en riant. Je me suis décidé à prendre ton pouls et, comme tu respirais toujours, j'ai appelé une ambulance. Je ne sais pas pour toi, mais, moi, je préférais la première version.

Gabrielle esquissa un sourire.

– Tu as été très héroïque dans les deux versions, t'en fais pas. En tout cas, merci de m'avoir sauvé la vie. À un de ces jours!

Toujours aussi pressée que lorsqu'elle avait quitté l'hôpital, elle s'apprêtait à poursuivre son chemin, mais le garçon la retint par le bras.

– Comment t'appelles-tu ? Moi, je suis Ben.

– Gabrielle, répondit-elle avec un entrain forcé. Tu ne devrais pas travailler en ce moment ?

– Non, j'ai été renvoyé. Mon patron a eu vent de toute l'histoire et en a conclu que j'avais mal fait mon travail en oubliant de fermer à clef derrière moi. Mais ne t'inquiète pas, je ne lui ai pas dit que tu étais entrée par effraction. Tu n'auras pas d'ennui, je te le jure.

Déconcertée, Gabrielle le dévisagea longuement, oubliant la hâte qui l'avait saisie plus tôt.

– Quoi ? fit Ben, agacé, en se passant la main sur le visage pour voir s'il n'avait pas de boue partout ou si un horrible bouton n'était pas venu squatter le bout de son nez. Quoi ? répéta-t-il, de plus en plus irrité par l'air outré de Gabrielle.

– Tu t'es fait virer... à cause de moi ?

Il sembla désarçonné quelques instants, puis finit par reprendre contenance.

– Oui, ben enfin... eh... non. Non ! Tu n'y es pour rien. Oublie ça.

– Non ! Je ne peux pas ! Je dois dire la vérité à ton patron, il va peut-être t'engager à nouveau !

– Tu peux écarter cette hypothèse. Ce n'était pas ma première erreur, et le patron, dont mon père avait pris la place, me détestait. De toute façon, c'était réciproque. C'est une vraie libération pour moi. Pour toi, ça aurait plutôt été l'incarcération ! ajouta-t-il en s'amusant de son jeu de mots, ce qui finit de rassurer Gabrielle. Puis, j'ai un entretien d'embauche dans quelques minutes. Tu ne devais pas filer, par hasard ?

Elle le remercia une autre fois, puis le quitta sur une note moins amère. Au fond d'elle-même, elle espérait le revoir. Après tout, il était plutôt sympathique, quoique un peu étourdi.

Gabrielle se rendit d'abord chez Tamara, puisque c'était plus près. Son amie discutait avec un garçon, assise sur les marches du perron. Sans savoir pourquoi, la jeune fille en ressentit une certaine colère. L'ampleur de ses émotions la surprenait parfois, mais elle n'essayait jamais de les refouler, de peur qu'elles se mêlent à toutes celles ressenties dans les dernières années. Sinon, le tout formait parfois un mélange très explosif dont le contrôle avait tendance à lui échapper.

Sa frustration provoquée par l'air trop serein de Tam s'éteignit lorsque l'intéressée remarqua sa présence. Elle poussa un cri de surprise et délaissa son Don Juan pour courir à la rencontre de son amie.

– Oh ! Gaby ! s'écria-t-elle en lui sauta au cou. J'étais tellement inquiète ! Mais où étais-tu passée ? Je n'ai pas dormi de la nuit, je t'ai cherchée partout, au concert. J'ai même téléphoné à ton père! Tu te rends compte! J'ai même mis mes principes de côté pour toi!

Gabrielle était ravie que Tam se soit inquiétée pour elle et en éprouvait une certaine honte. Tam n'était jamais inquiète, car pour elle, tout était prévu à l'avance et on ne pouvait éviter son destin. Rien n'était jamais assez grave à son goût, sa phrase préférée étant: « Ça pourrait être plus grave! » Le fait qu'elle ait appelé son père était tout aussi remarquable. Sans qu'elle n'ait jamais su pourquoi, son amie éprouvait une profonde aversion pour son père.

Tam l'entraîna jusqu'au balcon où patientait sagement son grand brun à l'allure revêche. Les épaules larges, la mâchoire carrée, les yeux bleus comme le chemisier de Tam le soir où… oui, c'était bien lui qu'elle avait aperçu à la fête, en compagnie de Tamara. Il aurait facilement pu être top modèle, mais il devait sans doute juger que la compétition n'était pas à sa hauteur.

– Gabrielle, je te présente Sébastian.

– Enchanté, *Señorita*, fit-il avec un doux accent espagnol.

– Salut!

Tam lui jeta un regard en coin que Gabrielle interpréta comme une mise en garde du style: « Pas touche ou je te crève les yeux! »

Pour la provoquer un peu, elle adressa un sourire ravageur à l'intention de son Apollon, puis quitta les lieux. Son père devait être mort d'inquiétude.

Ragaillardie, elle marcha jusque chez elle à petites foulées rapides. Elle gravit les trois marches qui la séparaient du porche. La porte n'était pas verrouillée. Elle l'entrouvrit et jeta un coup d'œil à l'intérieur. Personne. Elle monta au premier palier. Son père passait la majorité de son temps libre dans sa chambre à ruminer ses idées noires et à se gaver d'anti-dépresseurs en regardant le foot. Il était absent.

Gabrielle jeta un coup d'œil par la fenêtre de la chambre de son père. Le soleil descendait à l'horizon, projetant les ombres loin vers l'est en des formes tortueuses. Il ne pouvait être au travail un samedi.

Soudain, des voix provenant de la cuisine lui parvinrent. Gabrielle sentit son pouls s'accé-lérer et descendit les marches à pas feutrés. Son père l'aimait-il assez pour avoir lancé les poli-ciers à sa recherche?

Elle eut tout un choc en le trouvant assis à la table, une bière à la main, en pleine conver-sation politique avec Julius, leur voisin suédois. En bermuda et en t-shirt du Lausanne Sports, l'ancien club professionnel de football, il ne semblait pas du tout se soucier de sa fille unique, qui le fixait, hésitant entre les larmes ou la colère.

– Papa?

Il daigna lever les yeux vers elle.

– Où étais-tu encore, toi? demanda-t-il d'une voix lasse qui fit tressaillir Gabrielle, qui aurait mille fois préféré la colère à cette espèce de ton... exaspéré. Le docteur Okara a téléphoné, poursuivit-il, ignorant la rage que sa fille contenait à grand-peine. Il voulait s'assurer que tu étais bien rentrée. Tu es en retard. Tamara aussi a appelé. Je suppose que tu es encore allée traîner dans l'une de ces fêtes remplies de jeunes incontrôlables. Sais-tu combien me coûtent tes petits séjours à l'hôpital, jeune fille ? Tout ça parce que tu ne daignes pas apporter l'insuline que je paye à la sueur de mon front ! Hein ? Sais-tu combien tout cela me coûte ? J'ai parfois l'impression qu'il disparaît tout seul, mon salaire !

Gabrielle sentit les larmes lui monter aux yeux. Elle avait envie de lui lancer des injures, pour qu'il sorte de sa torpeur, pour qu'il retrouve un peu de son humanité d'avant. Elle lui lança :

– Va te faire foutre !

Puis, elle courut se réfugier dans sa chambre en claquant la porte de toutes ses forces. Exprimer ses émotions, oui ! Elle était capable d'exprimer sa colère sur sa porte, mais pas sur son père ! Quelle trouillarde elle était !

Elle s'écroula sur son lit, bouillante de rage. Elle avait quitté Perce-Neige pour ça ! Une engueulade de première catégorie avec un père qui se fichait complètement de sa fille ! Voilà pourquoi elle s'était tant inquiétée !

Après avoir donné de nombreux coups de poing sur son matelas et déversé son fiel sur son chat Titi, qui lui au moins l'écoutait sans broncher, elle réussit à reprendre la maîtrise de ses émotions. Ayant retrouvé un souffle plus régulier, elle s'installa à son écran d'ordinateur. Longtemps, elle fixa l'écran noir avant de se décider à mettre l'appareil en marche. Elle ouvrit un courriel portant le nom de sa sœur et une photo apparut à l'écran.

Une fillette la fixait de ses grands yeux verts. Ses cheveux bruns et lustrés tombaient en cascade sur ses frêles épaules. Éloïse avait toujours été un peu chétive. Bébé, Gabrielle refusait de la prendre dans ses bras de peur qu'elle ne se brise. Ses lèvres minces s'étiraient en un sourire malicieux qui lui semblait tout spécialement destiné. Gabrielle détailla son visage ovale, ses pommettes roses et son petit nez retroussé. Elle se permit même de verser quelques larmes en l'honneur de l'anniversaire de sa petite sœur. En effet, en ce douze juillet, elle aurait eu dix ans. Chaque année depuis sa disparition, l'association lui envoyait une photo de sa sœur, vieillie d'un an par voie numérique.

Elle imprima la photo et la glissa avec les autres dans une chemise cartonnée. L'évolution d'une année à l'autre était presque imperceptible, mais si on plaçait la photo de son quatrième anniversaire côte à côte avec celle qu'elle venait de recevoir, cette évolution devenait plus évidente.

Gabrielle imprima une autre photo, plus petite, pour son portefeuille. Elle se souvint soudain qu'elle l'avait oublié à la fête, dans son sac. Demain, elle irait tenter de le récupérer. Les chances étaient minces, mais pas inexistantes.

Elle s'endormit en laissant sa fenêtre ouverte pour pouvoir mieux observer les étoiles qui scintillaient. Sa mère était peut-être parmi elles. Une étoile qui oublierait de s'allumer le soir, mais qui serait quand même présente, là-haut.

Visite

LA SALLE DE CONCERT était déserte et des relents de bière empestaient l'air. À son grand étonnement, Gabrielle dénicha son sac entre deux chaises renversées dans un coin. Il était crasseux et puait le vomi. Elle se garda bien de le mettre sur son épaule et saisit la ganse entre son pouce et son index. Son permis de conduire, ses cartes, bref, toute sa vie était dans ce sac.

Tout ce dont elle avait envie, c'était d'un bon film. Quel genre ? Elle l'ignorait, mais elle savait qu'elle souhaitait absolument s'affaler sur le divan, un bol de pop-corn bien arrosé de beurre entre les genoux.

En entrant dans le club vidéo, elle se dirigea vers le rayonnage des nouveautés. N'y trouvant rien de bon, elle choisit une vieille comédie des années quatre-vingt. Elle avait vraiment besoin de se détendre un peu.

Une cliente attendait au comptoir, en pleine discussion avec le caissier qui tentait vainement de débarrasser le boîtier de sa tige de sécurité à l'aide d'un stylo-bille. La sonnerie du téléphone retentit. Une fois, deux fois, trois fois. Désespéré, le caissier jeta un coup d'œil à la ronde pour voir si quelqu'un d'autre ne pouvait pas prendre l'appel, mais, apercevant son collègue en train de fumer à l'extérieur, il dut se résoudre à répondre lui-même. Il mit le combiné entre son épaule et son oreille, tout en continuant à s'acharner sur le boîtier. La dame, offusquée par le petit signe de main que lui adressa l'employé, lui signifiant de patienter, quitta le magasin avec fracas. Le caissier, qui en avait terminé avec le téléphone, voulut le replacer, mais il tomba. Découragé, il le laissa pendre au bout de son fil pour accorder de l'attention à la nouvelle cliente qui venait de le saluer avec un petit sourire timide en lui tendant son film.

— Salut, répondit-il en rendant son sourire à Gabrielle.

— Je vois que tu n'as pas mis de temps à te trouver un nouvel emploi.

— Oui... euh, je veux dire non, répondit-il distraitement en poursuivant son manège avec son stylo.

— Es-tu certain que c'est la méthode conventionnelle ? Qu'est-ce qui me dit que tu n'es pas un voleur qui laisse les gens partir avec leur film gratuitement ? blagua Gabrielle.

— Premièrement, la machine qui fait ce travail est actuellement défectueuse depuis que je l'ai prise pour une table et que j'y ai accidentellement renversé mon coca hier, lors de ma première journée de travail. Deuxièmement, ta tactique pour obtenir un film gratuit est totalement nulle.

– Je vois…

Ben poussa un cri de victoire lorsque la tige de sécurité sauta et atterrit dans la machine à pop-corn, ce que Gabrielle ne souligna pas. Affichant un sourire triomphal, il lui tendit le film.

– Le prix de la machine va être déduit de ma prochaine paye, mais ça n'a pas d'importance. En tout cas, à la prochaine !

Gabrielle fit le tour du comptoir et sortit à l'air frais. Décidément, ce Ben était vraiment spécial !

Une fois chez elle, elle considéra le film qu'elle soupesait dans sa main droite. Une idée originale lui était venue, et elle songeait sérieusement à la mettre à exécution. Quelques minutes plus tard, sa décision était prise.

Elle glissa le film dans un sac et sortit. Le temps était à la pluie : de gros nuages se formaient peu à peu dans le ciel qui s'obscurcissait. Il n'était pas encore quatre heures, mais le soleil avait déjà disparu.

L'hôpital était à deux kilomètres et elle mit un peu moins d'une demi-heure à s'y rendre. L'air frais lui avait éclairci les idées. Sa dispute de la veille avec son père ne lui semblait plus aussi dramatique. Que son père soit inquiet ou non lui était complètement égal.

La pédiatrie était toujours aussi calme. Des infirmières circulaient d'une chambre à l'autre, affichant leur éternel sourire. Gabrielle ne se sentait pas à l'aise, mais elle se dirigea tout de même vers la baie vitrée, tournant le dos aux chambres. Une petite main ne tarda pas à se poser sur la sienne. Elle sursauta, bien qu'elle espérât son arrivée à la dérobée depuis un bon bout de temps.

– Ma chambre, c'est la 541, l'informa Perce-Neige. Ça pourrait t'être utile…

– Qu'est-ce qui te fait dire que je t'attendais ? lui demanda la jeune fille sur un ton plus sec que prévu.

– Je n'ai jamais dit cela, répliqua la fillette en affichant un air innocent. C'est toi qui viens de le dire.

Gabrielle resta silencieuse. Cette petite était décidément trop brillante. Ou elle-même était stupide. Ce point restait à préciser.

Cette petite… Dans sa tête, Perce-Neige était toujours une fillette, mais au fond, songea-t-elle, elle était presque une adolescente, tout comme elle. Pourtant, quelque chose l'empêchait de la traiter comme telle.

– J'ai une surprise pour toi, annonça Gabrielle d'une voix enjouée. Un film, ça te tente ?

Perce-Neige afficha un large sourire. Elle semblait emballée par cette idée. À croire qu'elle n'avait jamais vu un film de sa vie !

– Bien sûr ! Il y a une salle de projection à l'étage. Allons-y !

Gabrielle suivit la fillette jusqu'au fond du couloir, où elles tournèrent à droite. Perce-Neige lui indiqua une porte.

La pièce était chaleureusement décorée, remplie de coussins aux couleurs pastel. Un tapis framboise couvrait une grande partie du sol, juste devant le spacieux divan en « L » anthracite dans lequel quatre garçons étaient assis. Les murs étaient couverts de panneaux insonorisants, eux-mêmes recouverts de dizaines de dessins. Un projecteur était encastré dans le mur du fond, projetant sur celui d'en face l'image du jeu vidéo auquel jouaient les jeunes, un jeu de course automobile. Des haut-parleurs y étaient accrochés. Gabrielle ne put s'empêcher de s'extasier devant ces installations qui semblaient plutôt récentes.

– Ça m'aurait surprise que nous soyons seules, dit Perce-Neige, déçue. Cette salle est toujours pleine de garçons qui jouent aux jeux vidéo. Les filles ne peuvent jamais écouter leurs films. Il faudrait vraiment songer à instaurer un horaire.

– Quoi, les filles ne viennent pas ? s'amusa Gabrielle. Pourtant, je suis certaine que les garçons ne verraient pas d'inconvénient à ce qu'elles se mesurent à eux.

– Ce n'est pas ça. C'est juste que… les filles et les jeux vidéo, tu sais… Moi, ça ne me dérange pas, mais Lou trouve ça trop violent et ennuyeux.

– Ouais, je comprends. Qui est… Lou ? lui demanda Gabrielle.

Perce-Neige esquissa un petit sourire malicieux.

– Viens, je vais te la présenter.

Gabrielle suivit Perce-Neige, qui s'engageait déjà dans le couloir d'un pas sautillant, remettant le projet de film à plus tard. La fillette frappa trois coups à une porte voisine de la sienne et une petite voix ne tarda pas à leur dire d'entrer. La chambre n'était pas grande, tout juste assez pour contenir son mobilier qui consistait en un lit, deux chaises et une petite table de chevet. La première impression de Gabrielle fut de penser que la chambre était vide, mais elle finit par remarquer un crâne recouvert d'un mince duvet blond et deux petites mains qui maintenaient la couverture sous son nez.

– Lou-Ann, c'est Rosie. Tu n'as pas à te cacher, montre-toi ! dit-elle en riant.

Timidement, Lou-Ann rabattit la couverture sur son torse, mais la remonta aussitôt en apercevant Gabrielle.

– Non ! Non ! Non ! Je n'aime pas les piqûres, tu le sais, Rose ! Je veux pas, je veux pas !

Gabrielle ne put s'empêcher de pouffer devant la réaction de l'enfant. En boule au fond de son lit, elle se plaignait comme si sa mort était proche. Lui faisait-elle si peur ?

– Lou, c'est mon amie, pas une infirmière ! Quelle trouillarde tu fais !

Lentement, Lou-Ann laissa réapparaître ses yeux, bleus comme le ciel d'été et ronds comme deux balles de ping-pong. Puis, son nez apparut, légèrement retroussé et parsemé de taches de son.

– C'est vrai ?

– Puisque je te le dis !

En prenant soin de ne pas l'écraser, Perce-Neige et Gabrielle s'assirent sur son lit.

– Tu aimes les animaux ? demanda Gabrielle en remarquant les peluches qui s'entassaient un peu partout dans la chambre.

– Oh ! oui ! répondit Lou-Ann, les yeux brillants. Avant, j'avais deux chats, une tortue et deux poissons : Claude et Georginette.

– Avant ? répéta l'adolescente en fronçant les sourcils.

– J'ai dû m'en débarrasser parce que mon système immunitaire était trop faible. Mais maintenant, je suis en émission.

– Rémission, corrigea Perce-Neige. Tu es en rémission.

– C'est pas important, objecta Lou-Ann en faisant la moue et en croisant ses bras menus sur sa poitrine. Le plus important, c'est que je vais pouvoir ravoir mes animaux !

– J'ai un chat, moi aussi, lança Gabrielle. Il s'appelle Titi.

– Comme l'oiseau ? demanda Lou.

Gabrielle acquiesça, le sourire aux lèvres. Ce chat, qui avait maintenant six ans, elle l'avait eu lors du dernier vrai Noël qu'elle avait passé en famille. Cela expliquait sans doute pourquoi il lui était si cher. Elle se souvenait encore de la boîte trouée que sa mère lui avait tendue, puis de son cri de joie, lorsqu'elle avait découvert la frêle boule de poils qui s'y pelotait.

Elles discutèrent jusqu'à ce qu'une infirmière vienne chercher Lou-Ann pour son traitement. De son côté, Perce-Neige décida d'aller piquer un somme dans sa chambre, envahie par une fatigue soudaine.

– Ça te gêne pas pour le film ? s'excusa-t-elle auprès de Gabrielle qui, pour la première fois, remarqua ses yeux cernés.

– Ne t'inquiète pas. Ce sera pour la prochaine fois.

Après l'avoir saluée, Gabrielle se dirigea vers l'escalier et descendit deux étages avant de croiser Léo.

– Encore ici ? s'étonna-t-il. Tout va bien, j'espère, dit-il en fronçant les sourcils.

– Oh ! oui ! le rassura la jeune fille. Je suis juste venue rendre visite à une… amie.

Voyant son air interrogateur, elle jugea bon de préciser :

– Rose-Maïté.

Sa bouche s'arrondit un instant, le temps de former un « O » de compréhension.

– Ah ! oui ? fit-il en prenant son menton entre son pouce et son index. Elle ne m'a pas parlé de toi.

Puis, ses lèvres s'étirèrent pour former un sourire.

– Ma petite fille, ajouta-t-il. Enfin, ma fille, elle n'est plus vraiment petite.

Les yeux de Gabrielle s'arrondirent de stupéfaction.

– Rose est votre fille?

– Oui. Ça m'étonne qu'elle ne t'ait rien dit.

Gabrielle dut prendre un moment pour absorber le choc. Il avait donc une fille? Elle était très proche du médecin, pourquoi ne le lui avait-il jamais dit? S'il était le père de Rose, alors sa femme était...

– Toutes mes condoléances pour votre femme, murmura-t-elle. Que lui est-il arrivé?

Elle se mordit aussitôt la langue. Avait-elle été indiscrète? Mais Léo ne parut pas choqué.

– Elle est morte il y a environ cinq ans, dans un accident de kayak en Afrique. Je n'aime pas en parler.

Gabrielle sentit sa gorge se serrer.

– Je suis désolée.

– Tu n'as pas à l'être. C'est difficile, mais, avec le temps, la douleur devient moins vive, même si elle ne s'en va jamais. Mais il me reste Rose. Heureux que tu aies fait sa connaissance.

– C'est un vrai rayon de soleil, affirma Gabrielle. Elle...

– Je suis désolé, la coupa Léo, dont le télé-avertisseur venait de sonner. Je dois y aller maintenant, mes patients m'attendent. Nous continuerons cette conversation une autre fois, si tu le veux bien.

Il poursuivit son chemin vers le haut du bâtiment et Gabrielle descendit jusqu'au rez-de-chaussée. Lorsqu'elle fut enfin dehors, elle porta une cigarette à ses lèvres et l'alluma. En consultant son répondeur, elle constata que Tam lui avait laissé trois messages. Son père n'était décidément pas plus inquiet qu'il ne fallait. La plupart des jeunes trouvaient que leurs parents ne leur laissaient pas assez de place. Eh bien! elle, elle était bien servie, et même un peu trop!

Elle se secoua. Et quoi encore? Elle s'était promis qu'elle cesserait de tout ramener à son père. S'il n'était pas fichu de penser à elle, elle ne le ferait pas non plus, un point c'est tout.

Gabrielle songea à Perce-Neige. Pourquoi ne lui avait-elle pas parlé de son père? Il est vrai que la gamine ne savait pas que le docteur et elle se connaissaient. Et ce dernier n'avait jamais été très enclin à parler de sa vie privée. Elle en avait simplement conclu qu'il n'y avait rien à raconter. Elle allait devoir glisser un mot à Rose à ce sujet lors de sa prochaine visite.

Alerte

QUARANTE MINUTES après son départ de l'hôpital, Gabrielle se rendit compte qu'elle avait inconsciemment emprunté une panoplie de détours afin de ne pas arriver trop vite chez elle. Elle n'avait aucune envie de retourner dans sa grande maison vide. En se traitant silencieusement d'idiote, elle mit le cap sur la maison de Tamara. Celle-ci sembla ravie en ouvrant la porte à Gabrielle, ce qui finit de lui remonter le moral.

– Tu viens marcher?

Tamara ne se fit pas prier et sortit après avoir saisi son sac. Le ciel avait fini par se dégager et le soleil rayonnait de mille feux. La chaleur était intense, mais une légère brise soufflait, la rendant plus supportable. On prédisait même une canicule pour la fin juillet.

Les deux filles bavardèrent à propos de tout et de rien avant de s'engager dans les Escaliers du Marché, qui menaient droit à la cathédrale de Lausanne. Cela leur évitait d'avoir à emprunter un détour par Saint-Étienne. Le dimanche, il y avait énormément de monde dans l'escalier couvert. Gabrielle avait horreur des touristes. Son sentiment n'en devint que renforcé lorsqu'elle percuta une vieille Anglaise en tâchant d'éviter un gros Américain qui avait l'œil collé à l'objectif de sa caméra vidéo. Elle reçut des jurons bien sentis de l'une, ainsi que des excuses peu sincères de l'autre. Malheureusement pour elle, Lausanne était une des destinations préférées des touristes en Suisse, surtout durant l'été. Elle allait lancer une réplique à la vieille bique quand elle aperçut, au loin, un visage familier. Comme il était impossible de le héler dans cette foule, elle saisit le poignet de Tamara et l'entraîna vers l'avant, gravissant les marches en jouant du coude.

– Ben ! Ça alors !

L'interpellé lui adressa un sourire franc, puis Gabrielle lui présenta Tamara.

– C'est moi qui m'imagine des choses ou vous vous croisez plus souvent que nécessaire ? demanda Tam avec un sourire en coin, ce qui les fit rougir.

– Non, c'est juste que…, bredouilla Gabrielle.

Tamara l'interrompit.

– C'est le destin, je vous dis. C'est le destin !

– Sais-tu que les gens qui habitent, travaillent ou étudient à cinq kilomètres à la ronde passent quotidiennement par ici ? C'est-à-dire à peu près tous les Lausannois, lança Ben pour sortir Gabrielle de l'embarras.

La réplique de Tamara fut emportée par le brouhaha de la foule, dont ils furent forcés de suivre le mouvement.

– Comme ça, tu étudies en psychologie ? répéta Tam une fois qu'ils furent hors de danger d'être piétinés, assis sur un banc à l'ombre de la cathédrale, cette dernière les surplombant de toute sa magnificence.

L'établissement de style roman et gothique datant du treizième siècle impressionnait Gabrielle, qui n'hésitait pas à débourser quelques francs pour pouvoir gravir les deux cent trente-deux marches du beffroi, d'où elle avait une vue imprenable sur toute la ville, jusqu'au lac Léman. Elle ne comptait plus les fois où, enfant, elle avait mis sa tête dans la Clémence, histoire de s'amuser un peu. Aujourd'hui, elle s'y cachait encore, malgré l'interdiction en vigueur.

– Oui, je suis en deuxième année. C'est ma voie, j'en suis certain.

En l'écoutant, Gabrielle se rendit compte que Ben semblait passionné par son sujet. Elle ne savait pas encore dans quel domaine elle voulait travailler plus tard, mais elle aurait tant aimé avoir une passion comme celle de Ben ! Tout lui semblerait tellement plus simple.

– Je pense peut-être me diriger en politique ou en sociologie, je ne sais pas encore, disait Tam lorsque Gabrielle reporta son attention sur la conversation. J'ai encore du temps pour y réfléchir. Je viens d'avoir dix-sept ans. Quel âge as-tu ?

– Bientôt vingt, lui répondit-il.

Gabrielle fut étonnée. Il avait encore l'air d'un adolescent, avec ses membres disproportionnés et ses gestes maladroits ; elle ne lui aurait pas donné plus de dix-huit ans. Elle passa en revue ses cheveux bruns en bataille, ses yeux noisette, son nez bien dessiné, sa mâchoire saillante, seul élément qui le vieillissait peut-être un peu.

– Gab ! Ton portable sonne !

Sortant de sa rêverie, Gabrielle l'attrapa avec l'impression d'être une gamine prise en faute. Le numéro affiché sur l'écran lui était inconnu.

– Allô ? fit-elle en se levant et en s'éloignant de quelques mètres.

Au fur et à mesure que l'homme au bout du fil lui lançait des informations, le pouls de Gabrielle s'accélérait. Lorsqu'il raccrocha enfin, le portable ouvert glissa de sa main sans qu'elle esquisse un geste pour le retenir. Tamara s'en chargea, le regard rempli d'inquiétude.

– Gaby, qu'est-ce qui se passe ?

Tout en parlant, elle lui passait la main devant les yeux, mais Gabrielle restait figée. Tamara sentait qu'une mauvaise nouvelle était imminente.

– Fais-la s'asseoir, recommanda Ben. Si c'est un choc émotionnel, cela pourrait la…

– Tais-toi, elle n'a pas besoin d'un psy ! explosa Tamara.

Ben se renfrogna d'un seul coup et enfouit ses mains dans ses poches.

– Ils… ils…

Gabrielle sentait sa tête tourner. Elle n'était pas sûre si c'était dû au choc ou au manque de sucre. Ses jambes ployèrent et Tamara dut la retenir. Celle-ci prit soin d'ignorer Ben, qui lui offrit un sourire du style « je te l'avais dit ».

– Passe-moi son sac, au lieu de jouer au plus fin !

Il le lui lança et elle regarda si elle pouvait y trouver quoi que ce soit de sucré. Soudain, après trois longues minutes d'un silence lourd, Gabrielle consentit enfin à parler.

– Un corps a été repêché dans le Léman, hier. Un policier croit qu'il pourrait s'agir de ma sœur. Il me demande de me rendre à la morgue pour l'identifier. Oh ! mon Dieu ! Qu'est-ce que je vais faire si c'est elle ? gémit-elle en enfouissant sa tête dans ses mains.

Abasourdie, Tamara accusa le coup. Pourvu que ce soit une erreur…

– Pourquoi n'a-t-il pas contacté ton père ? C'est le principal intéressé, non ?

– Il n'était ni à la maison ni au travail et son portable était fermé. Il lui a laissé un message, mais il veut une identification le plus vite possible.

– N'y va pas, lui conseilla Tam. C'est une très mauvaise idée. C'est à ton père de faire ça. Et puis il ne faut pas être majeur ?

– C'est ce qu'il croit. Mon père était tellement amorphe que j'ai dû remplir les papiers moi-même. Je me suis inscrite comme deuxième personne à consulter. Et j'ai ma fausse carte. Il faut que j'y aille. Si la police l'avait vraiment retrouvée ?

– Ta... ta sœur ? bégaya Ben, sonné. Mais de quoi tu parles ?

– Je t'expliquerai plus tard, le coupa Tamara. Pour l'instant, il nous faut un moyen de transport !

– Je vous y conduis, si vous voulez, proposa Ben. Je suis garé à deux pas d'ici.

Les deux filles ne se firent pas prier et tous les trois montèrent dans la Prius grise de la mère de Ben, chez qui il vivait pendant ses études.

L'institut médico-légal était un bâtiment sinistre, construit de béton, sans fenêtre, situé derrière l'hôpital. Songer à ce qu'il y avait à l'intérieur donnait la chair de poule.

Gabrielle prit une grande inspiration avant de pousser la porte. Tous ses gestes étaient ceux d'un automate, son esprit ne contrôlait plus son corps. Elle ignorait comment elle réagirait si c'était bien le corps d'Éloïse. Présentement, l'incertitude lui permettait de remettre à plus tard ce deuil qu'elle craignait de ne pas pouvoir surmonter. Préférait-elle vivre avec la certitude de savoir que sa sœur était morte pour enfin tourner la page ? Elle l'ignorait et préférait ne pas trop y penser. Il ne fallait pas ponctuer ses phrases de « si », comme se plaisait à le dire sa mère. Vivre au présent et non au conditionnel était l'un de ses principes.

Un homme de petite taille, le nez aplati, le teint hâlé et les tempes grisonnantes, s'approcha d'elle et se présenta comme étant le sergent Vincent.

– C'est vous, Gabrielle Martinez ?

L'adolescente opina et suivit le policier dans le dédale de couloirs éclairés au néon. Comment pouvait-on supporter de travailler ici, sans la lumière du jour ?

Avant d'ouvrir la porte devant laquelle il s'était arrêté, il sortit un manteau d'un placard et le tendit à Gabrielle.

– La température est gardée très basse dans ces salles, environ quatre ou cinq degrés. Vous êtes majeure, hein ? demanda-t-il soudain.

Gabrielle lui tendit sa fausse carte sans aucun remords. L'attente commençait à la rendre nerveuse, mais le sergent Vincent n'y vit rien de suspect. Ce devait être le cas de bien des gens convoqués ici. Avec un sourire compatissant, il lui rendit sa carte et entrouvrit la porte.

Lorsque Ben et Tamara voulurent les suivre, l'homme les arrêta de la main.

– Non, pas vous, seulement Mlle Martinez.

La pièce était entièrement blanche, éclairée au néon également. Le plancher de ciment était parsemé de taches d'une couleur douteuse. Au centre trônait une table, et, sur celle-ci, une forme recouverte d'un drap blanc.

Gabrielle sentit les battements de son cœur s'accélérer.

– Elle a été repêchée hier soir et, d'après l'état du corps, nous estimons qu'elle est morte depuis près d'une semaine.

– Allez droit au fait, voulez-vous?

Avec des gestes mesurés, il replia la couverture jusqu'au menton de la fillette. Gabrielle ne put s'empêcher de plaquer sa main devant sa bouche. Elle eut très chaud tout à coup. Ce profil, cette chevelure brune, ce nez retroussé piqué de taches de son... Mais en même temps, il y avait si longtemps... Comment savoir si ces souvenirs n'étaient pas créés de toutes pièces? Comment distinguer le vrai du faux? Voir cette dépouille, là, devant elle, sans pouvoir déterminer s'il s'agissait ou non de sa sœur représentait la pire des tortures. Prenant son courage à deux mains, elle reporta son attention sur la fillette. Elle semblait paisible, et son visage bleuâtre et légèrement boursouflé lui donnait un air surréaliste. Elle pensa à la petite fille aux allumettes, ce conte sur l'histoire d'une fillette morte gelée un soir de Noël, que sa mère avait coutume de leur lire, à sa sœur et à elle. Comment aurait-elle pu identifier ce corps alors qu'elle aurait peine à reconnaître Éloïse si elle revenait devant elle?

– Alors?

Le sergent avait adopté un ton doux, compatissant, mais l'excitation qui transperçait dans sa voix avait quelque chose de malsain, surtout dans les circonstances. Elle chassa les larmes de ses yeux et haussa les épaules. L'assurance qu'avait affichée le policier s'envola d'un seul coup.

– Vous voulez dire que... vous ne savez pas?

Gabrielle, tout en tâchant de dissiper la nausée qui avait commencé à l'envahir, expliqua à l'homme que, comme il le savait déjà, sa sœur avait disparu depuis un bon moment. Le sergent, tenace, l'entraîna à sa suite dans un bureau adjacent, où il lui montra des photos de différentes parties du corps. Son enthousiasme s'éteignit définitivement face à l'air désolé de l'adolescente et à ses haussements d'épaules. Il lui expliqua son désarroi:

– J'étais certain d'avoir enfin résolu cette affaire. Vous voyez, ce genre de cas m'horripile, j'ai toujours l'impression qu'un détail m'a échappé. Nuit et jour, je ressasse tous ces cas irrésolus, ça me rend dingue. J'étais tellement convaincu qu'un test d'ADN ne serait pas nécessaire...

Cette dernière phrase sortit Gabrielle de sa léthargie.

– Un test d'ADN? Pourquoi ne pas l'avoir fait avant? s'offusqua-t-elle. Je n'aurais pas eu à... je n'aurais pas été forcée de voir cette...

Elle était hors d'elle. Le sergent l'exhorta au calme.

– C'est la méthode habituelle. Je veux dire, d'effectuer un test d'abord. Malheureusement, une partie de notre base de données contenant l'ADN de personnes disparues et celle de plusieurs criminels notoires a été détruite lors d'un bogue informatique. Fichus ordinateurs préhistoriques! Tous ces blocages à cause du budget…

– À partir de quel ADN ferez-vous le test, alors?

– À partir du vôtre, si vous le voulez bien.

Après la prise de sang, elle suivit les indications jusqu'à la sortie et se retrouva enfin au grand air, où patientaient ses amis. Elle avait l'impression de revenir d'un voyage spatio-temporel, la pression dans son crâne gommait tous les bruits des alentours.

– Ça va? lui demanda la voix lointaine de Tamara.

Gabrielle grommela quelque chose d'inintelligible avant de s'adresser à Ben:

– Allez en voiture, je rentre à pied. J'ai besoin de réfléchir.

– Mais c'est presque la nuit! protesta Tamara.

– Laisse-la, elle a besoin d'être seule pour faire le point et…

– Oh! toi la ferme! répliqua sèchement Tam. Il n'est pas question que je la laisse seule, surtout maintenant. La dernière fois, elle a abouti à l'hôpital. Tu le savais, ça? Bien sûr que non! Alors arrête de faire comme si tu la connaissais mieux que moi, tu veux?

– Est-ce une crise de jalousie? se moqua Ben. Si tu en as marre de moi, dis-le et tu rentres à pied!

Pendant que les deux autres se disputaient, Gabrielle en profita pour s'éclipser. Elle marcha jusqu'à la station de métro où elle prit le premier train en direction d'Ouchy.

Lausanne ne comptait qu'une seule ligne de métro, reliant Ouchy à Epalinges. Les stations défilèrent une par une et elle finit par s'assoupir, bercée par le roulement continu du wagon.

Une main remuant gentiment son bras la sortit de sa torpeur. Non sans une certaine surprise, elle se rendit compte qu'elle avait raté son arrêt et qu'elle se trouvait au terminus. Elle haussa les épaules, se disant que, de toute manière, elle n'éprouvait nullement l'envie de rentrer chez elle. C'était sans doute mieux ainsi. Elle avait besoin de réfléchir.

Une fois sortie, après avoir laissé chez elle un message disant qu'elle restait dormir chez Tamara (et avoir effacé du répondeur, par une impulsion soudaine, celui du sergent Vincent à son père à propos de la fillette retrouvée), elle se rendit jusqu'au quai des Savoyards. Retirant ses sandales, elle laissa ses pieds tremper dans l'eau pour pouvoir profiter du spectacle qu'offrait le soleil en plongeant dans le Léman. L'eau semblait s'embraser ; les voiliers, petites taches blanches éparses, étaient les seuls à échapper au brasier. Les Alpes, au loin, étalaient leur magnificence, leur cime enneigée se découpant sur le ciel de feu.

Toutes les émotions refoulées, les effluves rassurants du lac et le clapotis de la coque des bateaux heurtant les appontements finirent par avoir raison d'elle et elle s'assoupit de nouveau, adossée contre un des piliers du quai auquel étaient amarrées des dizaines de petites embarcations.

Attente

C'EST LA PLUIE qui la réveilla en sursaut. Encore cette fichue pluie qui aurait pourtant dû se faire plus rare durant la saison estivale ! Le tonnerre grondait au loin, chaque roulement étant précédé d'un éclair qui aboutissait parfois dans l'eau noire. Peut-être cet orage était-il dû au front chaud annonçant cette fameuse canicule ? Pour l'instant, l'important était de trouver un abri. Gabrielle hésita à peine avant de sauter à bord d'un voilier derrière elle. Après tout, le propriétaire n'en saurait rien, n'est-ce pas ? Malheureusement pour elle, la serrure de la cabine était un peu trop complexe pour qu'elle puisse la forcer et elle dut changer d'embarcation. La troisième fut la bonne, la porte n'était même pas verrouillée. Gabrielle se laissa tomber sur le petit lit de fortune en poussant un soupir. Le silence aurait été complet si ce n'avait été de ce grondement continu et du clapotement de la pluie sur le toit de l'habitacle. Parfois, la lueur d'un éclair passait dans la lucarne du plafond et elle pouvait distinguer ce qui l'entourait : filets, contenants divers, un évier tout au fond. Elle finit par s'assoupir au petit matin.

Gabrielle s'éveilla en sueur, la respiration saccadée, les yeux noyés de larmes. Le souvenir d'un visage blanchâtre, presque bleu, aux paupières gonflées et noirâtres, aux cheveux parsemés d'algues était encore vif dans son esprit.

Elle se redressa péniblement, ignorant ses muscles raidis qui criaient grâce. L'air était lourd et humide, mais la pluie avait cessé. Elle sortit de la cabine juste à temps pour voir les premiers rayons du soleil effleurer le lac de Genève et le teinter d'un doux rosé. Assister au coucher et à son lever le même jour, elle était choyée, songea-t-elle. Cependant, l'espoir et l'appréhension qui se confrontaient en elle atténuaient la majesté du spectacle.

Elle prit le premier autobus en partance vers chez elle, puis se ravisa et descendit plutôt chez Tamara en se rappelant qu'elle était censée y être. Comme il n'y avait aucun signe de vie, elle frappa doucement au carreau de la vitre de la chambre de son amie, au rez-de-chaussée. Après un moment, celle-ci finit par ouvrir la porte du devant, le visage encore bouffi de sommeil. Cependant, elle se secoua vite et serra Gabrielle dans ses bras.

– Tu es là ! On a eu une peur bleue, t'as pas idée !

– On ? répéta Gabrielle.

– Ben et moi ! Je croyais que tu rentrerais chez toi. Alors, j'ai téléphoné en soirée, mais ton père m'a rappelé que tu dormais chez moi. J'ai dit que j'avais oublié. Ton paternel semblait sceptique et il a grommelé avant de raccrocher. Où as-tu passé la nuit?

– Au port de plaisance.

– Tu sais, si tu veux être seule, dis-le-moi, et je te monte une tente dans ma cour, mais ne pars plus comme ça! Quand une dame a dit t'avoir vue partir vers le métro, t'as pas idée de ce qui m'est passé par la tête! Si tu...

Gabrielle l'interrompit, choquée:

– Tu crois vraiment que j'aurais été capable de me suicider? De toute manière, je ne vais pas me jeter sous une rame de métro, j'ai une chance sur deux de n'en sortir qu'estropiée!

– Je te ferai remarquer que tu ne m'as pas adressé un mot pour m'éclairer avant de nous fausser compagnie, à Ben et moi.

– Il n'y a rien à dire. Le policier va faire un test d'ADN.

Tamara fronça les sourcils.

– Tu veux dire que tu n'as pas pu identifier le corps?

– Non.

Gabrielle répugnait à en parler, mais Tam ne semblait pas prête à ajouter quoi que ce soit, ni à l'inviter à entrer.

– Écoute. Ma sœur a disparu depuis quatre ans. Cette fille avait le visage tout gonflé, pire que la fois où tu t'es fait enlever tes dents de sagesse. Alors non, je n'ai pas pu l'identifier. Ma vue était embrouillée, comme si mon cerveau refusait de décoder les images. C'était horrible.

Tamara finit enfin par manifester de la sympathie et la fit entrer.

– Tu sais, j'ai raconté ton histoire à Ben. Ça ne te dérange pas? demanda-t-elle en posant une tasse de café brûlant devant Gabrielle, qui en but une gorgée. Il faut dire qu'il en avait déjà déduit une bonne partie.

– Comment tu le trouves? se risqua à demander Gabrielle, le nez dans sa tasse.

– Le café?

– Non, fit-elle, rougissante. Ben.

– Sympa et horripilant à la fois. Où tu l'as rencontré, déjà?

– Dans la rue. Tu te souviens, le type qui m'a portée jusqu'à l'hôpital pendant un kilomètre?

Tamara pouffa.

– Ah! oui. Il ne manque pas de culot!

– Il a un certain mérite, ne l'oublie pas.

– Hum! hum!

– Sébas et toi, ça va comme tu veux? demanda Gabrielle, qui souhaitait changer de sujet.

Elle nota aussitôt la nouvelle coloration des joues de son amie, qui se tortilla sur sa chaise.

– Bien, il… il est sensas. Tu sais, il m'a proposé d'organiser une petite fête, mais, avec ce qui t'est arrivé, je préfère attendre un peu.

– Ne te prive pas à cause de moi.

– Il n'y aura pas de fête tant que tu n'y seras pas.

   – Merci, répondit Gabrielle, reconnais-
sante. Tu es une amie géniale, ajouta-t-elle en
serrant sa main dans la sienne.

   Tamara lui rendit son sourire, enfin rassurée
quant à l'état de son moral. C'était une dure
épreuve à surmonter, mais elles y arriveraient.
Elles en avaient vu d'autres. Et puis, cette fois,
il y avait Ben.

Cauchemars

L E BRUISSEMENT se répéta encore une fois. Gabrielle ouvrit les yeux, certaine de ne pas avoir rêvé cette fois. Il y avait quelque chose dans cette chambre à première vue déserte. Et quoi que ce soit, ça venait de remuer. La jeune fille jeta un regard circulaire dans la pièce baignée par la lueur de la lune, mais ne vit rien. Son attention se porta finalement sur le plafond et son cœur s'emballa. Là-haut, sur son lustre, elle était certaine d'avoir aperçu l'éclat d'une paire d'yeux verts, sans vie, suivi par le balancement d'une mèche de cheveux parsemée d'algues. Elle retint son souffle, attendant que la lueur de la lune atteigne le lustre où elle avait vu cette chose se balancer…

Gabrielle se redressa en sursaut dans son lit et alluma sa lampe de chevet, les mains moites et le front couvert de sueur. C'était la troisième fois qu'elle émergeait ainsi d'un sommeil agité depuis qu'elle s'était effondrée de fatigue, il y avait deux ou trois heures. Certaine de ne pouvoir se rendormir de nouveau, elle se leva et se rendit à pas feutrés dans la salle de bain pour s'y asperger copieusement le visage. Combien de temps fallait-il pour exécuter et recevoir les résultats d'un test d'ADN? Le plus idiot, c'est qu'elle était certaine que ses cauchemars cesseraient aussitôt après.

Le supplice se prolongea durant deux jours, deux longues journées durant lesquelles elle ne put trouver le sommeil. Elle en avait tant besoin, pourtant! Le troisième jour, elle perdit finalement patience et se rendit chez Tamara avec la désagréable impression d'être un zombie. Lorsque celle-ci lui ouvrit enfin, elle ne put retenir un cri d'exclamation.

– Mon Dieu! Depuis combien de temps n'as-tu pas dormi? couina-t-elle. Tes yeux, c'est… Enfin, évite les miroirs, ça vaut mieux pour toi.

En entrant dans la maison, Gabrielle croisa Sébas qui en sortait, mais s'en rendit à peine compte.

Voyant que Gabrielle allait s'effondrer sur le sofa, Tamara la saisit par le bras et la dirigea plutôt vers sa chambre.

– Pas question que tu dormes là. Tu couches dans mon lit, un point c'est tout.

D'habitude, Gabrielle aurait protesté avec véhémence, mais elle n'en avait pas la force. Elle avala sans rouspéter les somnifères que lui tendait Tam et ne tarda pas à sombrer dans un profond sommeil. Lorsqu'elle se réveilla enfin, le soleil était haut dans le ciel. Le radio-réveil indiquait seize heures. Gabrielle trouva

Tamara à la cuisine en train de pianoter sur son PC.

– Bien dormi ? demanda-t-elle en remarquant sa présence.

– Comme une reine. Merci, en passant.

– De rien. As-tu envie de quelque chose ?

– Laisse, je m'en occupe, répondit Gabrielle en saisissant un croissant et une pêche dans la corbeille. Dis-moi plutôt si quelqu'un a téléphoné.

– Quelqu'un comme le commissaire ?

– Le commissaire, Ben, Léo, peu importe. Personne n'a appelé ?

Tam secoua négativement la tête et Gabrielle fit la moue, déçue. En consultant son portable, elle constata que les piles étaient à plat.

– Pas étonnant que personne n'ait réussi à me rejoindre, soupira-t-elle. Je peux emprunter ton chargeur ?

– Oui, fit-elle, pensive.

– Qu'est-ce qu'il y a ? demanda Gabrielle en se dirigeant vers le salon pour y brancher son téléphone.

– Je me disais que... si le commissaire n'a pas pu te rejoindre, il s'est certainement tourné vers ton père.

– Impossible : il n'est pas au courant. J'ai effacé son message.

– Quoi ? Tu n'as pas averti ton père que le corps de sa propre fille avait peut-être été retrouvé ?

– Peut-être. Voilà le mot sur lequel repose tout mon raisonnement. Je ne veux pas l'ébranler pour rien.

– Gaby, soupira Tamara en s'asseyant sur son lit, tu sais que je ne porte pas particulièrement ton père dans mon cœur, mais, honnêtement, je crois qu'il a le droit de savoir.

– Eh ! bien pas moi.

Tam lâcha un soupir d'exaspération.

– Mets-toi à sa place : si tu étais lui, n'aimerais-tu pas être au courant de toute nouvelle concernant ta fille ?

– Vrai, mais je ne suis pas lui. Étant donné qu'il se fiche de moi, qui suis toujours en vie et près de lui, donne-moi une bonne raison pour laquelle il ne se ficherait pas de sa fille qui est peut-être morte à des kilomètres d'ici ?

– Tu m'obliges à me mettre dans une position particulièrement désagréable. Moi, prendre la défense de ton père ! Jamais je n'aurais cru en arriver là ! Je ne crois pas qu'il se fiche de toi, seulement qu'il… Gaby ? Dis-le-moi si je perds mon temps !

– Tu perds ton temps, se borna à répondre Gabrielle. Excuse-moi, mais je dois filer.

– Très bien ! File, dans ce cas ! Et merci pour ta reconnaissance !

Furieuse, Gabrielle se leva et se dirigea vers la porte. C'était tout juste si elle se retint de la claquer derrière elle.

– Gaby !

Elle se retourna, agacée.

– Quoi ? jeta-t-elle à l'intention de Tam, qui était sortie sur le balcon.

– C'est le commissaire !

Gabrielle sentit ses jambes se dérober sous elle, mais trouva quand même la force de faire demi-tour pour monter l'escalier et saisit fébrilement son portable. Lorsqu'elle le referma, au bout d'une minute qui parut interminable à Tamara, Gabrielle se jeta dans ses bras.

– C'est négatif ! Ce n'est pas elle, elle est peut-être toujours en vie !

Gabrielle se sentait comme si un énorme poids venait de lui être retiré des épaules. Elle en était même venue à oublier la raison de sa dispute avec Tam.

– Je suis tellement soulagée, t'as pas idée, lui confia Gabrielle. Désolée pour toutes les méchancetés que je t'ai dites, je ne les pensais pas. Oh ! il faut avertir Ben !

Tamara avait rarement vu Gabrielle aussi loquace et démonstrative. Elle était plutôt du genre à répondre par onomatopée. Elle n'avait pas toujours été ainsi, mais elle s'était refermée comme une huître à la mort de sa mère.

– Bon, je dois fignoler mon histoire. Mon père risque de me poser des questions. Du genre, comment se fait-il que tu aies oublié que je venais dormir chez toi ?

– Je n'ai pas peur pour toi. Tu commences à être experte dans l'art de mentir, non ?

Gabrielle lui asséna un léger coup de coude dans les côtes.

– Aïe! Si tu veux être présente à ma fête dimanche, évite de me frapper!

– Parce qu'elle aura lieu, cette fête?

– Évidemment! Je te l'ai promis! Mes parents seront absents. C'est Sébas qui va être content!

– Si tu le dis. Euh... tu pourrais inviter Ben? demanda Gabrielle à mi-voix.

– Je te trouve pas mal mordue de Ben. Y aurait-il quelque chose entre lui et toi? fit-elle, moqueuse.

– Jamais de la vie! protesta-t-elle avec un peu trop d'empressement. C'est un ami, ajouta-t-elle, plus pour elle-même que pour Tam. Enfin, je crois.

Laisser-aller

— As-tu songé à trouver un emploi? Tu pourrais faire preuve de plus d'indépendance, je veux dire côté financier. Côté humain, je te trouve assez indépendante, ajouta le père de Gabrielle avec un sourire presque moqueur.

Gabrielle hocha la tête d'une manière qui aurait pu être interprétée autant comme un oui ou un non. Après les événements des derniers jours, elle avait amplement eu le temps de songer aux nombreux désaccords entre son père et elle. Bien qu'elle n'ait pas renoncé à ses positions, elle comprenait que les drames survenus dans sa famille étaient aussi pénibles à surmonter pour lui que pour elle et avait pris la décision de le ménager un peu, sans toutefois délaisser son portefeuille. Cela n'avait pas semblé perturber son père outre mesure, mais, aujourd'hui, il s'affirmait enfin. Étrangement, Gabrielle n'en fut pas agacée, comme si, pour la première fois depuis longtemps, son père prenait conscience de ce qui se passait autour de lui. Ce fait valait bien plus aux yeux de sa fille que quelques billets volés.

– J'y réfléchirai, affirma-t-elle en rinçant son assiette avant de la mettre dans le lave-vaisselle. Je sors, ce soir. Ne m'attends pas.

– Ravi d'être informé de tes plans pour une fois. Que me vaut cet honneur?

– Arrête tes sarcasmes. Je fais des efforts, montre un minimum de bonne volonté de ton côté, veux-tu?

– Désolé. Ta mère serait tellement peu fière de mon comportement. Je ne sais pas ce qui me prend. Tu m'échappes complètement. C'est d'une mère dont tu as besoin à ton âge, pas d'un père complètement dépassé par les événements. Je veux bien m'améliorer, même si ce n'est pas grand-chose. Tiens, j'ai une idée.

– Quoi? demanda Gabrielle, méfiante.

– Je vais m'informer de ta vie, comme n'importe quel père enquiquineur.

Gabrielle se rassit, amusée.

– Que devient cette… hum… Sam? Cam?

– Tam?

– Ouais c'est ça. Que devient mon ennemie numéro un?

– Eh bien, elle a pris ta défense, l'autre jour.

Son père haussa les sourcils.

– Ah! oui? À quel sujet?

– Oh! je ne me souviens plus très bien, mentit Gabrielle.

– Tu as rencontré un garçon?

Gabrielle recula sa chaise.

– Tu sais quoi? Je vais faire comme n'importe quelle adolescente soumise à l'interrogatoire d'un père enquiquineur : je vais prendre la fuite. Ne m'en veux pas, d'accord ?

Son père rit, mais la laissa s'esquiver dans sa chambre, où elle s'assit sur son lit. Que s'était-il passé ? Elle venait d'avoir une conversation *normale* avec son père. À quand remontait sa dernière discussion avec lui ? Leurs récents échanges s'étaient tous soldés par un haussement de ton, un claquement de porte, des pleurs ou une gifle. Elle regarda sa montre. Il n'était que quinze heures. Elle avait amplement le temps de passer saluer Perce-Neige avant de se préparer pour la fête de Tam.

En arrivant à l'hôpital, Gabrielle trouva son amie angoissée. Elle se méprit d'abord sur l'origine de cette inquiétude et lui posa des questions sur Lou-Ann et ses autres compagnes, mais celle-ci coupa court à son interrogation.

– J'ai cru que tu m'avais oubliée ! lui reprocha-t-elle.

Un éclair de lucidité traversa l'esprit de Gabrielle qui se rendit compte que, effectivement, elle avait négligé Perce-Neige cette dernière semaine. Celle-ci avait sans doute eu le temps d'échafauder plusieurs scénarios expliquant son absence.

Dans le but de la rassurer, elle lui raconta tout : du coup de téléphone du commissaire à la soudaine trêve avec son père.

– Ça t'effraie ?

L'inquiétude dans son regard s'était muée en amusement et l'éclat de ses yeux bleus ne s'en retrouvait que plus vif.

– Quoi ?

L'agacement de Gabrielle était palpable.

– Tu es inquiète de voir que ton détachement envers lui est feint. Comme si ça te soulageait de tenir ton père responsable de ce qui t'arrive. Comme si c'était plus facile de le détester. J'ai du mal à te comprendre. Et si...

– Arrête ! J'ai déjà assez de Ben qui s'amuse à jouer au psy, pas besoin que tu t'y mettes toi aussi !

– Ben ?

– Le type qui m'a trouvée dans le Palais des miroirs, tu te souviens ? C'est en partie à cause de lui si je t'ai rencontrée.

– Est-ce qu'il t'intéresse ?

– Pourquoi tu ne m'as pas dit que ton père était Léo ?

Les deux filles avaient parlé en même temps. Pendant que l'une et l'autre se toisaient en silence, attendant une réponse, son père entra dans sa chambre et brisa le silence qu'il ne semblait pas avoir remarqué.

– Tu es là, Rose ! s'exclama-t-il. Bonjour à toi aussi, ajouta-t-il en se tournant vers Gabrielle. Heureux de te voir ici pour autre chose que des soins, pour une fois.

Perplexe, Gabrielle lui rendit son sourire. Ne se rendait-il pas compte du silence qui régnait depuis qu'il avait pénétré dans la pièce ?

Depuis le temps qu'il était son médecin, il ne lui avait jamais avoué avoir une fille et encore moins qu'elle passait une partie de ses vacances à traîner à l'hôpital. Maintenant, il agissait comme si tout était normal et avec un détachement qui la dépassait totalement.

– Ça ne t'ennuie pas si je te vole Rose? Elle a promis de garder un œil sur le petit Justin pendant que sa mère passe des tests.

La fillette, qui était assise en face de Gabrielle sur le lit, posa sa main sur la sienne en souriant. Pour la première fois, elle remarqua à quel point sa peau était diaphane.

– Tu viens avec moi?

Un instant, l'adolescente ne comprit pas de quoi il était question, puis saisit que Rose l'invitait à la suivre pour son gardiennage.

– Désolée, je dois déjà filer.

– Tu reviens demain?

Il y avait tellement d'espoir et de supplication dans la voix de la fillette que Gabrielle n'eut pas le cœur de refuser.

De retour chez elle, elle avala une pointe de pizza, se doucha et enfila la tenue qu'elle avait choisie pour la fête de Tam: chemisier, minijupe et escarpins piqués dans les affaires de sa mère que son père avait gardées. Elle ajouta un peu de khôl sur ses paupières déjà fardées et sortit dans la nuit chaude et humide, cette fois par la porte d'entrée, après avoir reçu les salutations de son père. Il n'avait même pas fait allusion à sa jupe trop courte. Une première!

La musique était audible depuis l'extrémité de la rue. Gabrielle sourit : Tamara avait sans doute organisé les choses en grande pompe, histoire d'impressionner Sébastian. Celui-là, elle n'allait pas le laisser filer de sitôt !

La première chose qui l'assaillit lorsque Tam, tout sourire, lui ouvrit la porte, fut les relents de bière et de fumée qui avaient pris possession de tout le rez-de-chaussée. Heureusement, Gabrielle ne fumait plus de marijuana depuis presque deux ans et l'odeur ne lui semblait même plus attirante.

Elle salua son amie et fit un signe de tête au grand brun qui la tenait par la taille. Elle fut heureuse de remarquer qu'il n'avait d'yeux que pour Tam. C'était une personne géniale et elle méritait vraiment l'entière admiration de Sébastian.

Le salon plutôt exigu était bondé de jeunes, dont certains ne lui disaient rien, alors que d'autres lui étaient connus de vue seulement. Elle sourit en constatant que Tam s'était même offert les services d'un barman, installé dans un coin.

Soudain, elle crut apercevoir une silhouette familière lui tournant le dos. Cependant, elle pouvait se tromper. Afin d'avoir une meilleure vue, elle se fraya un chemin jusqu'au bar où elle commanda une bière. Elle était tellement concentrée sur le grand brun aux cheveux décoiffés qu'elle ne remarqua même pas l'homme à la peau café au lait glisser un billet et un sachet au barman, qui écarquilla les yeux en voyant la coupure. Gabrielle se tourna vers lui au moment où il finissait de vider le contenu de la bouteille dans un verre. Elle lui donna un pourboire à l'instant où une main se posa sur son épaule.

– Contente de voir que Tam m'a écoutée, dit-elle au grand brun qui avait fini par la repérer.

– Parce que c'est toi qui m'as invité ?

– Qui d'autre ?

Elle sirota sa bière sans quitter Ben du regard. Elle avait l'impression que son allure était plus soignée aujourd'hui. Depuis qu'elle avait fait sa connaissance, il y avait un peu plus de dix jours, il semblait avoir mûri. Ou peut-être remarquait-elle des détails qui lui avaient échappé ? Elle se demanda si, comme elle, il se posait des questions quant à la nature des sentiments qu'ils nourrissaient l'un envers l'autre. Et s'il la trouvait trop jeune, pas assez mûre ?

Tamara jeta un autre coup d'œil vers Gabrielle. Sébas, Ben, Gaby et elle avaient discuté pendant une vingtaine de minutes, puis le gars à la peau café au lait était venu inviter Gabrielle à danser. Elle ne se souvenait pas l'avoir jamais vu, mais la fête était ouverte à quiconque en entendait parler. Cependant, ce type ne lui disait rien de bon et elle était persuadée de l'avoir déjà croisé quelque part. Elle n'aimait pas voir son amie frayer avec des gens qu'elle ne connaissait pas. Qui plus est, elle lui avait semblé étrange vers la fin de leur discussion. Elle avait laissé parler les autres à sa place et ne répondait que par monosyllabes, ce qui ne prouvait rien, puisqu'elle n'était pas très loquace, Tam en convenait. Mais quelque chose ne tournait pas rond, elle le sentait. Si seulement elle pouvait se souvenir de l'endroit où elle avait croisé ce type.

Elle croisa l'expression pétrifiée de Ben. Suivant son regard, elle vit l'homme et Gabrielle enlacés sur un sofa, en train d'échanger un long baiser. Avec un effort surhumain, Ben reporta son attention sur Sébas et sur elle. Pauvre Ben, se disait Tam. Lui qui croyait avoir sa chance ce soir...

Ben sentit quelque chose se briser en lui. Jamais il n'avait éprouvé un sentiment semblable pour une fille, même s'ils ne se connaissaient que depuis peu. Elle était drôle, intelligente et pas snob pour deux sous, sans être une des intellos premières de classe qui s'intéressaient habituellement à lui. En plus, il la trouvait vraiment jolie. Et la voilà qui en embrassait un autre sous son nez ! En tant que futur psychologue, il se rendait maintenant compte qu'il était bien plus aisé d'analyser les sentiments des autres plutôt que les siens. L'envie le démangeait d'envoyer son poing dans la figure de ce type, que personne ne semblait connaître, d'ailleurs.

Gabrielle avait à peine conscience de ce qu'elle faisait. Elle savait seulement que quelqu'un la retenait contre lui, heureusement, parce qu'elle ne tenait plus debout. Elle ne se rendit même pas compte qu'on l'entraînait vers l'escalier.

Tam sentit la panique l'envahir lorsqu'elle chercha Gabrielle du regard sans la trouver. Elle devait bien être quelque part !

Ben, bien qu'il fît preuve de plus de discrétion que Tamara, cherchait aussi Gabrielle, sans succès. Il allait quitter la fête, défait, lorsqu'il suivit le regard de Tam qui fixait l'escalier.

Tam analysa rapidement la situation, sans quitter du regard son amie et le type qui montaient l'escalier, marche par marche. Gaby avait eu plusieurs copains, mais n'avait jamais couché avec aucun d'eux, selon ses confidences. Elle voulait être sûre avant de faire le grand pas. Maintenant, elle allait se jeter dans les bras d'un type qu'elle connaissait depuis une heure à peine ! Ça ne lui ressemblait pas. Tamara regarda encore une fois Gaby, lourdement appuyée contre l'homme qui avait passé sa main sous ses aisselles et qui semblait la porter plus qu'autre chose.

– Oh ! mon Dieu ! souffla-t-elle.

C'était évident comme le nez au milieu de la figure.

– Quoi ? demanda Sébas.

– Elle est droguée ! s'exclama-t-elle.

Ben fut le premier debout, mais Tam lui ordonna de ne pas bouger. Un déclic venait de se déclencher dans sa tête.

– Je veux connaître son nom, exigea-t-elle. Vous deux, vous le sortez d'ici, ordonna-t-elle à l'intention de Ben et de Sébas.

– Son nom ? Mais on s'en fiche !

– Faites ce que je dis !

Elle se dirigea vers l'escalier, monta trois marches et interpella le type :

– Eh ! toi !

Agacé, l'homme se retourna.

– Qui es-tu ?

– En quoi ça te regarde ?

– Dis-moi ton nom ou j'en conclurai que tu as quelque chose à cacher, ordonna-t-elle, menaçante malgré sa petite taille.

– Éric.

– Tu mens.

– Fous-moi la paix, tu veux ? Ma copine et moi, on a à faire en haut, si ça te… Aïe !

Ben, qui avait suivi Tamara dans les escaliers, venait d'envoyer une droite bien placée sur le nez du type qui lâcha subitement Gabrielle pour porter les deux mains à son visage ensanglanté. Les genoux de la jeune fille ployèrent sous son poids, et Tam dut la rattraper pour qu'elle ne déboule pas l'escalier. Plusieurs danseurs s'étaient immobilisés et les conversations s'étaient tues. Tout le monde regardait la scène, en état de stupéfaction.

Sébas rejoignit Ben et souleva Gaby comme si elle n'avait pas pesé plus lourd qu'un sac de plumes.

Contre toute attente, ce fut Ben qui prit la parole :

– Elle t'a demandé ton nom. Tu le lui dis ou je serai forcé de frapper une autre fois pour consulter ta carte d'identité.

L'inconnu cria :

– Tyler ! Tyler Colman, t'es content ? Bande de cinglés ! Tu m'as cassé le nez ! Allez tous vous faire foutre !

Il ne se fit pas prier pour sortir, sans toutefois cesser d'invectiver Ben jusqu'à ce que Tam claque la porte derrière lui.

– Je savais que je l'avais déjà vu ! s'exclama Tam pour elle-même.

– Tu la laisses là ? demanda Sébas en pointant du doigt Gabrielle, apparemment endormie sur le sofa.

– Va la porter dans ma chambre, s'il te plaît, demanda-t-elle à Ben.

Ce dernier passa un bras derrière les genoux de Gabrielle et un autre sous ses aisselles et alla la déposer dans le lit de Tam. Il lui retira ses escarpins presque religieusement, puis sortit en refermant la porte derrière lui. Il avait des questions à poser à Tam.

Coup dur et mal de tête

LE LENDEMAIN, Gabrielle se réveilla sans aucun souvenir du soir précédent. Elle avait une migraine monstre et un élancement à la cheville, en plus d'une vague nausée. Elle mit un petit moment à reconnaître le décor de la chambre de Tamara. Cependant, c'est Ben qu'elle trouva assis à la table de la cuisine en train de manger un sandwich au fromage. Profitant du fait qu'il ne s'était pas retourné, elle se replia vers la salle de bain et s'en félicita : ses cheveux avaient besoin d'un bon coup de brosse, son maquillage avait coulé et elle portait, lui semblait-il, les mêmes vêtements que la veille. Après s'être démaquillée et avoir avalé deux cachets d'aspirine, elle retourna à la cuisine.

Ben la salua avec un sourire crispé.

– Bonjour. Où est Tamara ? demanda-t-elle.

Il fut heureux de ne pas avoir à s'expliquer sur la soirée de la veille.

– Partie. Elle aurait voulu rester, mais elle avait un entretien d'embauche à treize heures qu'il lui était impossible de déplacer. Tu sais qu'il est presque quatorze heures ?

Elle acquiesça, songeuse. Pourquoi ne se rappelait-elle de rien? Il y avait bien eu une fête hier soir, non? Elle voyait bien que Ben était mal à l'aise. Elle décida d'y aller de but en blanc:

– Qu'est-ce qui s'est passé hier?

– C'était trop facile, soupira Ben, apparemment pour lui-même.

Sans détour, il lui raconta tout: comment elle avait été droguée, puis manipulée par un type portant le nom de Tyler Colman…

– Tyler Colman? s'écria Gabrielle. Tu le connais, c'est en partie à cause de lui que j'ai perdu ma sœur! Mon premier rendez-vous! Tu te souviens? Tam t'en a sûrement parlé!

– Je sais, c'est elle qui a fini par le reconnaître. Il paraît que tu le détestes et qu'il est devenu trafiquant de drogue? Tu crois qu'il se souvenait de toi?

– Possible. Il est du genre rancunier, tu sais.

– Tamara a dit la même chose à son sujet. Tu penses porter plainte?

Gabrielle y songeait, mais le cœur lui manquait. À quoi bon? Si elle portait plainte, elle se mettrait tous ses amis et clients à dos. Et Dieu sait qu'ils étaient nombreux. Le jeu, selon elle, n'en valait pas la chandelle.

– Ce ne sont pas les témoins qui manquent, pourtant, tenta de la convaincre Ben. Écoute, si tu ne portes pas plainte, c'est moi qui irai lui régler son compte, à ce type. Et là, c'est moi que tu vas devoir venir visiter en prison.

Gabrielle sentait qu'il ne plaisantait qu'à moitié.

– Non, laisse tomber, je te dis. Merci de m'avoir défendue, le remercia-t-elle avant d'aller enfiler ses chaussures dans la chambre de Tam.

Les épaules de Ben s'affaiblirent. Il n'avait pas osé lui dire que, après qu'il l'eut déposée sur le lit, elle s'était redressée et l'avait embrassé. Juste comme ça, spontanément. Il se disait que, de toute manière, elle devait encore être sous l'emprise de la drogue, donc inconsciente de ses gestes. Il savait qu'il aurait dû la repousser, mais en avait été incapable, et se sentait un peu mal. Malgré tout, il aurait tellement souhaité qu'une toute petite partie d'elle s'en souvienne.

Gabrielle sortit de chez Tamara, la mort dans l'âme, après avoir embrassé Ben sur les deux joues. Pas question d'aller plus loin sans un signe de sa part. Elle craignait trop de risquer leur amitié à cause d'un malentendu. Elle espérait qu'il ne raisonne pas comme elle.

Au lieu de retourner chez elle, où il n'y avait personne puisque son père travaillait, elle décida de se rendre à l'hôpital. De toute façon, elle avait une promesse à respecter. Elle entra dans la chambre vide où une infirmière était en train de changer les draps.

– Excusez-moi, savez-vous où est Per... Rose ?

L'infirmière leva les yeux vers elle. Avec ses cheveux gris coupés courts encadrant un visage rond à la peau parcheminée et ses petits yeux pers rieurs, elle semblait d'une douceur infinie et lui rappelait sa grand-mère maternelle décédée.

— Partie passer des tests, encore, soupira-t-elle en fourrant un oreiller dans sa taie.

— Des tests? s'alarma Gabrielle. Pourquoi? Est-ce qu'elle a attrapé quelque chose? Elle est malade?

— Malade? Parce que vous pensez qu'elle est en santé, peut-être?

La réponse parut incongrue à Gabrielle, qui fronça les sourcils.

— C'est que je l'aime, cette petite! ajouta-t-elle en essuyant une larme qui perlait au coin de son œil. Pourquoi serait-elle dans un hôpital, si elle va si bien que ça?

— Son père est médecin et elle l'aide pour des broutilles ici et là, jeta Gabrielle en haussant les épaules. Si c'est ce qui lui fait plaisir, alors...

— Parce que vous croyez sincèrement que nous avons la possibilité de prêter une chambre à tous les enfants de nos médecins?

— Pourquoi est-elle ici, alors? demanda Gabrielle, redoutant la réponse.

L'infirmière prit place sur le lit.

— Assieds-toi aussi, fit-elle en tapotant le matelas.

Gabrielle s'exécuta, la gorge serrée.

— Il y a cinq ans, commença l'infirmière, le docteur Okara est allé passer un mois en

Afrique avec sa femme et sa fille de sept ans. Son épouse s'est noyée dans un accident de kayak. Son corps n'a jamais été retrouvé. Le docteur et sa fille ont failli se noyer aussi, mais ils s'en sont tirés.

Gabrielle, qui connaissait déjà cette partie de l'histoire, attendait la suite avec fébrilité.

– Alors qu'ils vivaient encore leur deuil et venaient tout juste d'arriver ici, on a diagnostiqué une maladie de la moelle osseuse chez Rose-Maïté. Cette maladie s'appelle la leucémie aiguë lymphoblastique.

Gabrielle était sonnée. Elle papillota des paupières pour chasser ses larmes. Qu'est-ce qui n'allait pas chez elle? Pourquoi tous ceux qu'elle aimait étaient-ils voués à un destin tragique?

– Vous pouvez sans doute la guérir! Elle est ici depuis quatre ans. Ne me dites pas que son sort ne s'est pas amélioré!

– C'est malheureusement le cas, ma chérie. Elle rejette toute greffe de la moelle et la chimiothérapie n'a pas donné les résultats escomptés. Il faut dire que la greffe se serait peut-être avérée plus efficace si le donneur avait été un frère ou une sœur, mais comme elle n'en a pas...

Gabrielle ne put se retenir de poser la question qui lui brûlait les lèvres depuis un bon moment déjà:

– Combien de temps lui reste-t-il à vivre?

Anxieuse, elle se tordait les mains. Elle n'était pas sûre de vouloir connaître la réponse.

– Le pronostic est pessimiste. Il doit lui rester moins d'un mois, maintenant. Son père, vous n'avez pas idée à quel point il était atterré quand il a su que toutes ces années de chimio n'avaient rien donné.

Si Gabrielle n'avait pas été assise, elle se serait sans doute effondrée. Ses forces l'avaient abandonnée. Moins d'un mois ? Mais elle était si jeune ! Son adolescence n'était même pas encore entamée. Douze ans. Elle sentit les larmes revenir, mais les refoula. Elle allait faire honneur à Perce-Neige et rester forte, comme elle.

Elle quitta l'hôpital après avoir brièvement salué l'infirmière, la mort dans l'âme. Elle n'arrivait pas à y croire ! D'un geste rageur, elle frappa un caillou avec le bout de sa chaussure. Frustrée, elle voulut s'allumer une cigarette, mais s'aperçut qu'elle avait oublié son sac chez Tamara. Cette fois, les larmes jaillirent pour de bon. Furieuse de se laisser aller à de telles démonstrations en pleine ville, elle voulut se réfugier au Palais des miroirs, mais se dit que le parc devait être rempli de visiteurs à cette heure de la journée.

Arrivée dans un petit espace gazonné, elle se laissa choir sur un banc et tâcha tant bien que mal de se reprendre en main. Le type assis à côté d'elle abaissa son journal, et elle sursauta en reconnaissant Ben.

– Qu'est-ce que tu fiches ici ? demanda-t-elle d'un ton plus brusque que nécessaire en séchant ses larmes. Elle avait horreur de montrer ses faiblesses.

– J'habite tout près, expliqua-t-il. Merci de l'accueil chaleureux, en passant.

Il s'interrompit brusquement.

– Tu pleures ? Qu'est-ce qu'il y a ?

– Je reviens de l'hôpital…

Gabrielle, bien qu'elle ait décidé de ne pas parler de Perce-Neige, lui raconta tout. Il l'écouta attentivement avant de lui demander :

– Tu as l'intention de ne plus aller la voir ? Elle s'est attachée à toi, tu dois beaucoup compter pour elle.

– Je sais, je suis dans une impasse : j'y vais et je me fais du mal ; je n'y vais plus et c'est elle qui souffre.

Elle soupira. Le choix n'était pas bien difficile : il lui suffisait de choisir la première option pour prouver son absence d'égoïsme.

– Je sais que tu prendras la bonne décision. Profite des instants qui te restent à passer avec elle, tu ne le regretteras pas.

En deux phrases, Ben avait rayé tout doute de son esprit. Elle savait ce qu'il lui restait à faire. Elle se leva d'un bond, puis effleura les lèvres de Ben d'un baiser avant de prendre la direction de l'hôpital au pas de course.

Il n'était pas seize heures, les visites étaient permises. Contrairement à son habitude, Gabrielle frappa à la porte de Perce-Neige avant d'entrer. En voyant la jeune fille adossée contre de multiples oreillers, encore plus pâle que dans son souvenir, si jeune et pourtant si forte et si déterminée, elle sentit sa bonne volonté l'abandonner d'un seul coup. Gabrielle s'assit avec précaution à ses pieds avant de lui adresser un sourire timide.

Perce-Neige leva un regard suspicieux du livre dans lequel elle était plongée et lui signifia qu'elle était prête à l'écouter, puisqu'elle semblait vouloir dire quelque chose.

– J'ai pensé revenir demain et nous ferons ce que tu as envie, cette fois. Je ne sais pas... c'est toujours moi qui propose et je ne t'ai pas souvent demandé ton avis.

Gabrielle avait l'impression de s'enfoncer un peu plus à chaque mot.

Perce-Neige poussa un soupir et referma son livre.

– Tu es au courant, n'est-ce pas?

– De... de quoi tu parles? balbutia Gabrielle, feignant l'ignorance.

– Pour ma maladie! s'écria-t-elle comme si elle était la dernière des idiotes.

Gabrielle ne put que hocher la tête, tout en fixant ses pieds.

Pour la première fois depuis qu'elle la connaissait, Perce-Neige semblait troublée.

– Qui te l'a appris? demanda-t-elle.

Gabrielle se raidit. C'était à elle de poser les questions.

– Ce n'est pas important. Dis-moi plutôt ce qui t'a poussée à me cacher un aussi grand secret. On se connaît depuis plus d'un mois!

Sans prévenir, Perce-Neige se redressa brusquement dans son lit et fit même mine de vouloir se lever. Affolée, Gabrielle la repoussa doucement contre les oreillers en la priant de se tenir tranquille.

– Ménage-toi un peu! lui ordonna-t-elle. Garde tes forces, tu en auras besoin!

À son grand désarroi, les grands yeux bleus de Perce-Neige se remplirent de larmes.

– Voilà pourquoi je ne t'ai rien dit! sanglota-t-elle. De tous ceux que je connais, tu étais la seule à ignorer mon sort et aussi la seule à me traiter sans égard particulier, comme une personne normale, quoi! La seule à ne pas me considérer avec toute cette attention, cette pitié qui me fait vomir! J'en ai assez d'être traitée comme un bibelot fragile, je veux vivre le temps qui me reste comme une fille normale!

Gabrielle avait écouté sans broncher et comprit qu'elle avait eu tort de vouloir agir différemment. Cependant, elle savait que quelque chose s'était brisé entre elles.

– Est-ce que le fait que tu m'aies caché l'identité de ton père a un lien avec ta maladie? demanda-t-elle.

– Il aurait été le premier à tout dévoiler, c'est clair! Il se soucie beaucoup de moi, il m'aime énormément, mais je ne crois pas qu'il aurait compris que je puisse te dissimuler un tel secret. Pour lui, je serai toujours sa petite fille rescapée des flots, ajouta-t-elle en faisant retentir son rire si particulier.

Gabrielle resta pensive un moment.

– Comment veux-tu que j'agisse tout en sachant que mon temps avec toi est compté ?

Perce-Neige haussa les épaules.

– Ce n'est pas compliqué : ne change rien. Continue à entrer sans prévenir, à te jeter à plat ventre sur mon lit, à me raconter ta journée sans que je puisse placer deux mots, à venir m'exposer tes problèmes pour que je puisse jouer au grand sage et à m'imposer des activités. C'est ça que j'apprécie chez toi : une vraie tornade !

Perce-Neige avait retrouvé le sourire, et Gabrielle aussi. Si c'était ce qu'elle voulait, elle ne changerait rien à ses habitudes. Seulement, elle devrait apprendre à la côtoyer avec la menace constante de la mort qui rôdait.

– Très bien, dit Gabrielle en se relevant. Je reviens demain avec une surprise et tu n'auras rien à dire !

Le lendemain, Gabrielle débarqua en trombe dans la chambre de Perce-Neige avec la permission de Léo pour l'amener dîner dans le parc en face de l'hôpital. Elle ne le lui avait pas avoué, mais son but ultime était d'emmener Perce-Neige dans son paradis à elle, la rive du Léman, pour admirer le port de plaisance et les dizaines de quais, avant que la fillette ne soit alitée pour de bon. La première étape avait déjà été franchie.

Perce-Neige se montra très emballée du projet. Il y avait longtemps qu'elle n'avait pas vécu une vraie sortie. La plupart du temps, son père ne la laissait pas aller à l'extérieur de peur qu'elle prenne froid, puisqu'une simple grippe pouvait lui coûter la vie, vu la faiblesse de son système immunitaire. L'été, ça pouvait aller, mais elle devait veiller à ne pas se blesser, puisqu'une hémorragie était toujours à craindre. La seule condition posée par son père était d'être averti des allées et venues de sa fille. Elle ne devait pas dépasser les limites du parc.

Toutes deux passèrent un excellent moment ensemble, à discuter de tout et de rien. Gabrielle avait préparé un goûter pour l'occasion, avec des sandwichs, des noix, des fruits et des rafraîchissements.

– Qu'est-ce que c'est?

Gabrielle, qui s'apprêtait à croquer dans une poire, arrêta son mouvement. Perce-Neige semblait subjuguée par un objet à son cou. L'adolescente comprit qu'elle devait fixer son collier.

– Ça? dit-elle en ouvrant le fermoir. C'est un collier que m'a légué ma mère. Elle disait qu'il possédait une âme.

Elle le lui tendit. Rose, émerveillée, le plaça devant elle pour en admirer les reflets dans la lumière du soleil.

– Qu'est-ce qu'il renferme? demanda-t-elle en l'observant attentivement.

– C'est un secret, répondit Gabrielle en le lui reprenant.

À la fin du repas, elle voulut mettre la main sur son paquet de cigarettes, plus par réconfort qu'autre chose, mais elle s'était promis de ne pas fumer en présence de Perce-Neige. Cependant, elle le vit dans la main de la fillette, qui le retournait dans tous les sens.

– C'est dégueu, je ne sais pas comment tu peux fumer ça, commenta-t-elle en le lui donnant avec dédain. C'est ton seul défaut.

Gabrielle haussa les épaules. Si les choses étaient aussi faciles ! La nicotine était son réconfort, comme certains le trouvaient dans les friandises ou les livres. Qu'aurait pensé Perce-Neige si elle avait su, pour la cocaïne ? L'adolescente jeta un coup d'œil autour d'elle, sur l'étendue verdoyante parsemée de hêtres et de chênes frémissant sous la brise, avant de reporter son regard sur son amie, dont les yeux pétillaient. La page était tournée et son passé était derrière elle.

Troublantes découvertes

LES DEUX DERNIÈRES SEMAINES de juillet, elle partagea son temps entre Perce-Neige, Ben et Tam, elle qui en avait de moins en moins puisqu'elle avait fini par se trouver un boulot. Autant sa relation avec Sébas allait bon train, autant celle de Ben et de Gabrielle stagnait. Il faisait comme s'il ne s'était rien passé, et elle craignait de se mettre les pieds dans les plats en le questionnant sur le sujet. Elle allait dîner dans le parc avec Perce-Neige quatre jours par semaine, et celle-ci lui avait plusieurs fois proposé d'inviter Ben, sans qu'elle puisse s'y résoudre. Pourtant, la fillette aurait peut-être réussi à dissiper le malaise, elle pour qui rien n'était jamais compliqué.

À la fin de la deuxième semaine, Gabrielle décida qu'il était temps de lancer la seconde partie de son plan avant que le temps ne joue contre elle et se rendit dans le bureau de Léo pour tenter de l'amadouer. La pièce était déserte et elle décida de s'asseoir dans un fauteuil pour l'attendre.

Pas très patiente, elle commença à tripoter les articles qui jonchaient le bureau du médecin. Elle s'intéressa d'abord à un stylo, puis à un assortiment de *post-it* multicolores, à un trousseau de clefs, à un coupe-papier en forme d'épée miniature et, finalement, à un tiroir d'où dépassait un article de journal.

Bien qu'elle sût qu'elle n'en avait pas le droit, elle ouvrit le tiroir, qui n'était pas fermé à clef. À son grand étonnement, elle y retrouva une collection de plusieurs journaux apparemment africains, rédigés en français ou en anglais, quelquefois dans une langue inconnue. Ils venaient d'une ville au nom imprononçable. Elle parcourut rapidement les journaux que le médecin avait dû ramener de ses précédents voyages.

Au même moment, elle entendit des pas dans le couloir et eut peur. Elle voulut refermer le tiroir, mais il était bloqué. Un journal devait être tombé au fond du meuble lorsqu'elle l'avait ouvert.

Effrayée par la perspective d'être prise en flagrant délit, elle plongea la main et en retira un épais journal duquel s'échappèrent deux feuillets. En pestant, elle le posa sur le bureau et se pencha pour récupérer les feuillets.

L'écho des pas sur la céramique du couloir portait à croire que la personne était chaussée de talons hauts. Le bruit ne tarda pas à s'éloigner et Gabrielle put enfin se calmer.

Lorsqu'elle se pencha pour saisir les feuillets, un détail attira son attention : la rubrique nécrologique. La première femme à y figurer portait le nom de Marilyn Okara, médecin que la communauté allait regretter, disait la légende. En baissant les yeux, Gabrielle sentit son sang se glacer dans ses veines : la seconde à y être répertoriée était une fillette aux cheveux blonds et au visage angélique qui ressemblait comme deux gouttes d'eau à Rose.

Stupéfiée, elle regarda attentivement le feuillet. Malgré la mauvaise qualité de la photo, elle reconnaissait clairement les traits d'une Perce-Neige un peu plus jeune. L'endroit où aurait dû se trouver le nom avait été déchiré, le pourtour de la déchirure étant lui-même auréolé d'une tache de café. Ne restait plus que le « *ara* » d'Okara.

De nouveaux pas résonnèrent dans le couloir et, cette fois, ce n'était pas des talons hauts. En hâte, Gabrielle fourra les deux feuillets dans le journal, qu'elle remit tout au fond du tiroir. Son cœur battait à cent à l'heure quand elle se glissa sans bruit hors du bureau. Elle fila comme une flèche vers la porte principale de l'hôpital.

Ce n'est qu'une fois à l'extérieur qu'elle put reprendre son souffle. Elle était complètement ahurie. Deux conclusions s'imposaient à elle : Léo avait prétendu que sa fille était morte, ou la Rose qu'elle connaissait n'était pas la vraie Rose. Où la vérité se cachait-elle ?

Elle songea un instant à en informer la police, mais se ravisa. Qu'aurait-elle pu leur dire ? Elle se rendit plutôt au parc, espérant naïvement y trouver Ben.

Elle constata avec déception l'absence de Ben et dut se résoudre à lui téléphoner pour qu'il lui donne son adresse. Sa maison était à deux pas et jouxtait le parc. Elle fut surprise de l'entendre dire qu'il la voyait de la fenêtre de sa chambre. Il l'accueillit gentiment et l'invita à s'asseoir dans la salle à manger. Il commençait à la connaître et voyait bien qu'elle était bouleversée. Sans plus attendre, elle lui fit part de sa découverte pour le moins troublante et des conclusions qui s'étaient imposées.

– Attends une minute, la coupa-t-il. Tu crois vraiment ton médecin capable de commettre un enlèvement ? C'est ridicule. Je ne le connais pas, mais à t'entendre, il me semble tout ce qu'il y a de plus inoffensif. Ne laisse pas l'espoir de retrouver ta sœur brouiller ton jugement, si tu veux mon avis.

Au lieu de chercher à nier comme elle le faisait souvent, elle resta pensive un moment.

– Je n'y avais même pas songé, tu sais. De toute manière, c'est à exclure puisque ma sœur n'est pas blonde et qu'elle a les yeux verts, et non bleus. De plus, elle n'a que dix ans. Oh ! Ben, qu'est-ce que je vais faire ?

Gabrielle plongea sa tête entre ses mains. Elle avait souvent été confrontée à une situation où un choix s'imposait, mais chaque fois, elle avait trouvé le moyen de se désister. Léo lui avait-il menti, comme l'avait fait sa fille ?

Ben serra dans les siennes les mains de la jeune fille, qui gesticulait au-dessus de la table. Elle tressaillit, mais n'essaya pas de se dégager.

– Comment aurait-il pu remplacer sa fille? s'exclama-t-elle. C'est inimaginable, quelqu'un aurait fini par le découvrir!

Ben soupira et libéra ses mains.

– Très bien. Imaginons un instant qu'il ait kidnappé une fillette qui ressemble comme deux gouttes d'eau à sa fille. La question n'est pas de savoir comment, mais pourquoi?

– Je l'ignore, avoua Gabrielle. Mais le motif serait certainement la tristesse profonde d'avoir perdu à la fois sa fille et sa femme lors de ce voyage. Ou la folie.

Ils restèrent pensifs un moment. Ben finit par rompre le silence.

– Premièrement, tu es sûre que c'était bien Rose sur la photo? Tu m'as dit que le nom n'y figurait pas.

Il sembla peser ses mots avant de continuer.

– Tu es certaine qu'elle n'avait pas... une sœur?

Le regard de Gabrielle se voila. Une boule se forma dans sa gorge.

– Non, murmura-t-elle. Elle m'en aurait parlé, c'est sûr. Après... après ce que je lui ai raconté de la mienne.

En même temps, le doute s'insinuait en elle. Et si Perce-Neige lui avait aussi menti sur ce point? Après tout, elle lui avait bien caché la vérité au sujet de sa maladie.

– Gabrielle, tu dois aller parler à Rose. Si tu ne le fais pas maintenant, tu ne le sauras jamais et tu le regretteras un jour.

– Non ! répliqua-t-elle avec véhémence. Je veux dire… il ne faut pas la perturber, elle faiblit de plus en plus.

– Alors demain, nous irons voir son père.

Ce n'était pas une suggestion. Gabrielle sembla apprécier qu'on la prenne enfin en main. Elle laissait encore les autres choisir à sa place. Cependant, cette fois, c'était pour le mieux, elle en était convaincue.

Avant de franchir le seuil, Gabrielle remercia son confident.

– Ben ?

– Oui ?

– Pourquoi as-tu décidé de m'aider ?

Il hésita à peine avant de répondre, mais cela n'échappa pas à l'œil aiguisé de Gabrielle.

– Parce que ma curiosité est insatiable, comme la tienne.

La jeune fille se détourna, un sourire aux lèvres. Elle aurait été insatisfaite s'il n'y avait eu cette légère hésitation qui lui indiquait qu'il ne disait pas toute la vérité.

Gabrielle rentra chez elle, des doutes plein la tête. Son père la salua en la voyant gravir l'escalier et elle l'imita, mais sans enthousiasme. La fin du mois de juillet avait été plus riche en conversations père-fille que celles des quatre dernières années.

Elle sortait à peine de la salle de bain que son portable sonna. C'était Tamara.

– J'ai une bonne nouvelle pour toi : le type que j'ai engagé comme barman à la fête est prêt à témoigner contre Tyler si tu portes plainte contre lui. Il a peur d'être accusé de complicité.

– Pourquoi ferais-je une chose pareille ? s'étonna Gabrielle.

– Il est certain que des gens l'ont vu en train de mettre la drogue dans ton verre. Selon moi, ce n'est pas sûr, mais bon. Ce n'est pas un mauvais bougre, il se sent coupable.

– Mais il ne s'est rien passé ! s'écria Gabrielle. Je t'ai déjà dit que je ne voulais pas porter plainte !

– Il ne s'est rien passé cette fois, corrigea Tam, qui ne lâchait pas prise. Réfléchis un peu : tu veux qu'il recommence avec une autre fille ? Il n'arrêtera pas à cause d'une malheureuse tentative ratée, Gab !

Cet argument finit de la convaincre.

– Très bien. Si on a un témoin, ça va. On se reparle de cette histoire plus tard, tu veux ?

En raccrochant, Gabrielle avait l'impression d'avoir un nouveau poids sur les épaules. Elle avait depuis longtemps laissé tomber cette histoire. Mais elle allait faire un effort pour Tamara, qui le méritait bien. Et puis elle avait raison : Tyler pouvait récidiver.

L'homme brisé

LE LENDEMAIN MATIN, Gabrielle retrouva Ben au parc comme prévu et ils prirent la route de l'hôpital. Là-bas, Perce-Neige fut ravie de constater que Gabrielle n'était pas seule et qu'elle avait enfin consenti à emmener le fameux Ben.

– C'est toi, Ben ? fut la première chose qu'elle demanda alors que la porte ne s'était pas encore refermée.

Il parut surpris un moment, puis un sourire éclaira son visage.

– À ce que je constate, on t'a parlé de moi, répondit-il à l'adresse de Perce-Neige, qui vit Gabrielle rougir jusqu'aux oreilles et lui lancer un regard assassin en guise d'avertissement.

– Bon, ça suffit, fit-elle. Perce-Neige, je t'emmène dîner au parc ce midi ?

Pour la première fois depuis longtemps, la fillette sembla hésiter avant de décliner l'offre.

– Je ne crois pas être en mesure de t'accompagner. Je suis vraiment épuisée, l'infirmière m'a conseillé de me reposer. Une autre fois, peut-être ?

Gabrielle acquiesça. Chaque fois qu'elle montrait un quelconque signe de fatigue, comme cela lui était arrivé de plus en plus fréquemment ces dernières semaines, la gravité de sa maladie lui était rappelée.

– Ton père est là ? demanda Ben.

Rose fut secouée par une quinte de toux qui la laissa le souffle court. Elle mit un moment avant de répondre :

– Non, il assiste à un congrès toute la journée.

Vers dix heures trente, Gabrielle entraîna Ben en dehors de la chambre en l'enjoignant de laisser Perce-Neige se reposer.

– Tu t'inquiètes pour elle, n'est-ce pas ?

Gabrielle se laissa choir sur une chaise.

– Ses yeux sont plus cernés que jamais, elle maigrit beaucoup trop rapidement et je sais que bientôt, elle… elle va me quitter Ben ! Elle aussi ! Et je ne peux empêcher le destin d'accomplir son œuvre !

Elle se sentait si impuissante !

– Si tu préfères, on laisse tout tomber et on fait comme si cette photo n'avait jamais existé.

Elle renifla, s'essuya les yeux.

– Non. Il faut que je sache si Rose est vraiment celle qu'elle dit être.

– Très bien. Demain, alors.

Cette fois, Gabrielle laissa Ben l'enlacer tendrement. Elle ferma les yeux et, même si elle ne croyait pas en Dieu, adressa une prière silencieuse pour Perce-Neige.

Le lendemain matin, Ben et Gabrielle arrivèrent tôt à l'hôpital. L'aile des enfants était déserte, mais elle avait insisté pour rendre d'abord visite à Perce-Neige.

Ils trouvèrent la chambre vide et le lit défait. Elle s'assit sur ce dernier et se tourna vers Ben, qui s'était mis à farfouiller un peu partout.

– Qu'est-ce que tu fais ? lui demanda-t-elle en le voyant plonger ses mains dans un sac de voyage et en retirer un objet. Hé ! Ce n'est pas à toi !

– Calme-toi, je ne sais même pas ce que je cherche, la rassura-t-il.

– Que faites-vous ici ?

Les deux jeunes sursautèrent, pris en flagrant délit. Léo, les yeux presque aussi cernés que ceux de sa fille, se tenait à la porte. Il semblait épuisé.

– Où est Rose ? ne put s'empêcher de demander Gabrielle, l'inquiétude prenant le dessus sur son embarras.

– Elle subit des tests. Je crois qu'elle a attrapé un virus. C'est… c'est très grave. Elle ne peut pas le combattre toute seule.

C'était la première fois que Gabrielle le voyait aussi inquiet. Il semblait au bord des larmes. Il jetait de petits coups d'œil furtifs à Ben et la jeune fille comprit que le médecin serait plus enclin aux confidences s'ils étaient seuls. Elle posa sa main sur l'épaule de Ben, lui adressa un sourire contrit. Il sembla hésiter, puis la serra dans ses bras avant de se glisser hors de la chambre.

– Léo, je n'irai pas par quatre chemins. J'ai vu la photo du journal, dans votre bureau.

Alors que Gabrielle n'aurait jamais cru cela possible, le visage de l'homme s'affaissa encore plus, comme alourdi par le poids de ses tourments.

– Vous savez que j'ai un grand respect pour vous, qui avez toujours été comme un second père pour moi. Je ne dirai rien, je le jure.

Il hésita un moment, semblant peser le pour et le contre de ses confidences.

– À une condition : ne ramène pas ce sujet sur le tapis avec ma fille. Elle est déjà assez bouleversée.

Gabrielle accepta.

– Presque personne n'est au courant dans cet hôpital. Je suis entré en service ici après l'accident. Jamais je n'aurais supporté de côtoyer à nouveau mes collègues qui connaissaient ma famille. En changeant de milieu je pensais mes épreuves finies, mais c'était faux… mon épouse, ma grande fille, et maintenant, Rose…

Gabrielle l'entraîna jusqu'au fauteuil, dans lequel il se laissa tomber. Ses épaules massives étaient secouées de tremblements. Il retira ses lunettes, se pinça l'arête du nez. La jeune fille songea à son père la nuit où elle l'avait entendu pleurer, à ces deux hommes qu'elle croyait incapable de se briser.

– Tout est ma faute, articula-t-il entre ses sanglots étouffés. J'aurais dû écouter le guide ; il m'avait averti que ce passage était risqué. Le kayak a chaviré, il y avait des rochers, je n'ai rien pu faire, rien pu faire, rien.

Léo cacha son visage dans ses mains.

– La vie est tellement injuste, dit-elle à haute voix, comme pour mieux s'en convaincre, histoire de se prouver qu'elle ne méritait rien de ce que lui était arrivé, pas plus que lui.

– Non, tout est ma faute. Il y a des études qui disent qu'un cancer peut se déclencher après un choc nerveux. La leucémie de Rose a été diagnostiquée quelques mois après notre retour. C'est ma faute, je te dis…

Gabrielle compatissait à la souffrance de cet homme qui éprouvait les mêmes que les siennes. Peut-être cela expliquait-il le lien qui les unissait. Pour la toute première fois, il laissait transparaître le père désespéré qu'il était, et à travers lui, la jeune fille comprenait enfin comment le sien avait pu se sentir. Voir sa famille ainsi disséminée… Elle se laissa glisser aux pieds de Léo, sans qu'aucune larme ne vienne. La lumière tant attendue allait encore se laisser désirer un bon moment.

Déployer ses ailes

COMMENT fais-tu pour être si détachée, dans tout ce qui t'arrive ?

Perce-Neige afficha un sourire triste.

– Je sentais que tu finirais tôt ou tard par me poser cette question. En fait, je me concentre sur ceux qu'il me tarde de retrouver, au lieu de penser à ceux qui me manqueront. Ça a fonctionné jusqu'à maintenant.

Gabrielle approuva silencieusement. Étendues l'une à côté de l'autre, les mains derrière la nuque, elles observaient le plafond, chacune perdue dans les méandres de ses propres pensées.

– J'aurais aimé aller au lycée…

– Ça n'a rien d'exceptionnel.

– Pas grave. J'aurais aimé me marier, avoir des enfants, devenir médecin, voyager…

L'adolescente sentit un début de jalousie poindre en elle. Douze ans et pleine de projets d'avenir, déjà. Et elle, quels étaient ses projets ? Elle avançait à l'aveuglette, vivant au jour le jour, comme si c'était elle, la mourante.

– J'ai peur, Gaby.

– Moi aussi. Mais je serai avec toi, jusqu'au bout. Et même après.

– Jure-le.

– C'est promis. Toi aussi, tu veilleras sur moi de là-haut?

– Promis.

Gabrielle tint sa promesse et passa chaque jour, chaque heure de la semaine qui suivit au chevet de Perce-Neige. Léo aussi passait le plus clair de son temps aux côtés de sa fille, aux aguets du moindre signe inquiétant. Rose maigrissait à vue d'œil, malgré les bons soins qui lui étaient administrés et la nourriture que l'infirmière tentait vainement de lui faire avaler. Lentement, les heures d'éveil cédaient la place au sommeil. Rose était entrée dans ce qui était communément appelé « la phase terminale ». Malgré tout, grâce aux efforts combinés de son père et de Gabrielle, l'ambiance qui régnait dans la petite chambre aux murs pastel n'était pas complètement morose.

Tamara, que Ben avait finalement mise au courant de toute l'histoire avec l'accord de Gabrielle, était venue trois jours après que cette dernière eut temporairement élu domicile à l'hôpital. Ils n'avaient pas eu le choix, Tamara se posant de sérieuses questions sur les absences répétées et mystérieuses de sa meilleure amie. Une fois en face d'elle, Gabrielle s'était préparée à la tempête, qui n'avait, heureusement pour elle, jamais éclaté.

– Que veux-tu que je te dise, avait-elle capitulé en haussant les épaules. Ben m'a clairement exposé les raisons de ta réticence à me mettre au courant de cette amitié. Et honnêtement, tu n'avais pas tort : j'aurais désapprouvé. Mais bon, tu me mets devant le fait accompli et ce n'était pas une si mauvaise fréquentation, étant donné ton évolution de cet été.

– Évolution ?

– Ben oui. Enfin, tu es toujours la même, à part quelques aspects de ta personnalité. Tu es plus énergique, plus ouverte. Avant, tu n'aurais pas même accordé d'attention à un gars comme Ben. Et puis, tu t'es réconciliée avec ton père. Il y a un mois, jamais je n'aurais cru cela possible !

Gabrielle avait écouté attentivement son amie. Se pouvait-il que Perce-Neige ait effectivement été à l'origine de telles transformations chez elle ?

Tam la quitta en lui promettant tout le soutien dont elle était capable, sans émettre le désir de rencontrer Rose.

– Parfois, il y a certaines parties de nos vies qu'il vaut mieux ne pas entremêler, s'était-elle justifiée.

Peu de temps après, un petit « coucou ! » gêné vint interrompre Gabrielle, qui lisait le Petit Prince à Rose. Elles riaient à cause d'une plaisanterie lancée à propos du renard, mais se figèrent en apercevant la bouille ronde de Lou-Ann dans l'encadrement de la porte. Elle tenait une petite valise à roulette et une peluche à la main. Une femme, qui semblait être sa mère, l'encouragea à entrer. L'adolescente songea que Lou-Ann devait sans doute être intimidée et chagrinée par cette soudaine inversion des rôles. En effet, Rose lui avait confié qu'elle avait soutenu son amie dans les moments les plus sombres de sa maladie. Maintenant, cette dernière était rétablie et s'apprêtait à quitter l'hôpital. Elle s'approcha du lit en tendant un hibou en peluche qui avait visiblement déjà bien servi.

— Je te le donne, murmura-t-elle avec un sourire timide. C'est grâce à lui et toi si je vais mieux maintenant. On va te guérir, j'en suis certaine.

Les larmes aux yeux, Perce-Neige se redressa. Trop émue, elle ne réussit qu'à émettre un faible « merci », qui fit sourire la généreuse donatrice. Elle courut se réfugier sous les jupes de sa mère.

— Je vais revenir quand tu seras en émission, et tu viendras voir mes animaux ! s'écria-t-elle en sortant.

Le cœur des deux filles se serra.

Quelques minutes plus tard, Rose interrompit Gabrielle dans sa lecture.

— C'est la troisième fois que tu lis cette phrase. Qu'y a-t-il ?

La jeune fille referma le livre et le posa sur ses cuisses. Elle réfléchissait à toute allure. Elle brûlait d'envie de questionner Rose au sujet de sa sœur depuis le début de la semaine, mais son bon sens l'en empêchait.

– Te souviens-tu quand nous nous sommes juré qu'il n'y aurait plus de secrets entre nous ?

La mine de Perce-Neige se chiffonna, comme si elle se doutait où l'adolescente voulait en venir. Elle gardait le silence cependant, ce que Gabrielle perçut comme un signe d'encouragement.

– L'autre jour, je suis tombée sur la photo d'une fillette qui te ressemblait comme deux gouttes d'eau. En réalité, au début, j'étais persuadée que c'était toi.

– Qu'est-ce qui te dit que ça ne l'était pas ?

– Tu as déjà eu ta photo dans une rubrique nécrologique ?

Un moment de silence suivit.

– Si tu ne veux pas en parler, je comprendrai, jugea-t-elle bon d'ajouter. Mais tu dois savoir que ton père m'a déjà raconté l'essentiel.

Rose laissa sa tête rouler sur l'épaule de Gabrielle, puis soupira.

– Tu sais, l'histoire de ta sœur m'a touchée plus que tu ne le crois. En fait, quand je t'ai vue, je me suis dit : « C'est à elle que ressemblerait ma sœur aujourd'hui, si… »

La suite se perdit dans ses sanglots étouffés. Elle serra Rose contre elle. La fillette venait d'exprimer mot pour mot ce qu'avait ressenti

Gabrielle la première fois qu'elle l'avait rencontrée. Par hasard? Elle n'en était plus si certaine.

⁂

Une silhouette sombre s'approchait lentement de Gabrielle. Ses traits étaient masqués par le large rebord d'une capuche, et sa large toge déchirée par endroits ajoutait à sa taille déjà impressionnante. Ses yeux flamboyaient du rouge ardent qu'ont les braises avant de mourir. La silhouette s'avançait de plus en plus. Un vent glacial enveloppa le corps de l'adolescente qui, muette de terreur, était incapable du moindre mouvement. Même si elle l'avait voulu, ses membres refusaient de lui obéir. Puis, la créature plongea un de ses longs doigts osseux dans sa cavité oculaire et l'en ressortit. Avec lenteur, elle l'approcha de la paume de Gabrielle, qui le sentit s'enfoncer dans ses chairs. La douleur provoquée par la brûlure était insoutenable. Elle allait crier quand elle se réveilla en sursaut.

Elle fut presque soulagée de voir où elle se trouvait. Les quatre murs de la chambre d'hôpital lui étaient maintenant devenus familiers, presque rassurants. Il y avait maintenant huit jours qu'elle n'avait pas quitté l'établissement, ou presque. Elle devait s'être endormie, alors qu'elle veillait sur le sommeil de Rose. Par contre, elle ressentait encore une sensation de brûlure, quoique plus diffuse. Elle se rendit compte qu'elle provenait de la main de Perce-Neige, qu'elle tenait serrée dans la sienne. Alertée, elle plaqua sa paume sur le front de la fillette. Il était brûlant. Son premier réflexe fut de chercher à la réveiller. Elle la secoua sans ménagement, trop bouleversée pour chercher à être délicate. Rose gémissait et tremblait. Ses draps étaient humides et adhéraient à sa peau moite.

– Allez Rose, s'il te plaît, ouvre les yeux ! Pas ce soir, pas ce soir ! Il te reste encore du temps, reste avec moi, je t'en supplie…

Alors que l'adolescente commençait à désespérer de la revoir consciente à nouveau, Perce-Neige ouvrit les yeux.

Tout d'abord, Gabrielle en fut immensément soulagée. Elle la serra dans ses bras.

– Oh ! J'ai eu si peur, tu n'imagines pas à quel point je… Rose ?

Une frayeur sans nom chassa toute trace de soulagement. Le regard de la fillette était vide. Sa pupille largement dilatée paraissait couverte d'un film opaque. Elle fixait un point quelconque au-dessus de l'épaule de l'adolescente, qui recula d'un pas. Terrifiée, elle voulut sortir, mais se heurta au mur. Les mains agitées de tremblements incontrôlables, elle tâtonna à la recherche de la porte. Aussitôt celle-ci ouverte, elle se rua dans le couloir, où elle percuta une masse sombre. Léo, car c'était bien lui, étouffa le cri de Gabrielle avec sa main.

– Qu'est-ce qui se passe ? s'alarma-t-il en constatant son état d'affolement.

La jeune fille ne réussit qu'à bégayer.

– Elle… Rose… comme ma mère… a oublié… ne me reconnaît plus… la fièvre…

Sans la laisser terminer, il s'engouffra dans la chambre.

Les moments qui suivirent restèrent flous dans la tête de Gabrielle. Du personnel allait et venait, des lumières s'allumaient et s'éteignaient, un chariot s'éloignait. Des voix d'hommes et de femmes s'entremêlaient, ne devenaient plus qu'une. Sa mère criait, elle voulait qu'ils en finissent. Finir quoi ? Elle était restée prostrée contre le mur, incapable de distinguer les contours, les formes, les gens. Elle demeura ainsi jusqu'à ce qu'une main vienne se poser sur son épaule. Elle ne broncha pas. Léo, se méprenant sur la cause de son silence, se voulut rassurant :

– La fièvre a baissé. Ce ne sera pas pour cette nuit.

Gabrielle resta muette. Comment lui expliquer cette peur qui l'avait paralysée, au moment où elle avait vu ce voile dans les yeux de Perce-Neige ?

– Quand je suis venue voir ma mère pour la dernière fois, elle a été incapable de se souvenir de mon visage. J'ai eu beau crier, la supplier, elle a été incapable de me reconnaître, lui dit-elle.

Gabrielle avait fait cette confidence dans un murmure quasi inaudible. Léo s'accroupit à côté d'elle, lui serra l'épaule.

– Rose n'a eu qu'un égarement momentané causé par une forte fièvre. Ce genre de délire arrive couramment. Tu dois faire la distinction entre sa maladie et celle de ta mère. C'est normal d'avoir peur, ça m'arrive aussi. Nous devons apprendre à l'accepter, sinon elle nous gangrène le cœur petit à petit.

L'adolescente aurait tout donné pour que cela soit aussi simple.

– Écoutez, Léo, j'ignore si je serai capable de retourner voir votre fille. Et si cela se reproduisait ?

Le médecin la força à le regarder droit dans les yeux.

– Écoute-moi bien, Gabrielle. Tu sais aussi bien que moi que c'est grâce à toi si Rose passe à travers cette épreuve sans s'effondrer. Entre vous, il y a ce lien, cette complicité que j'ai du mal à expliquer, mais qui vous est bénéfique à toutes les deux. Chaque fois que tu la fais rire, c'est comme si on m'arrachait une lame de la poitrine. C'est douloureux et infiniment soulageant à la fois.

Cette phrase la força à réfléchir. En réalité, elle ressentait exactement la même impression à chaque éclat de rire de Perce-Neige. Cependant, la lame dont parlait Léo, elle avait plutôt eu l'impression qu'on la lui enfonçait aussi. Du coup, il lui faisait voir la sensation dans une perspective nouvelle.

– Viens, tu es épuisée, tu peux aller t'allonger sur le divan de la salle de jeux. Je vais demander qu'on t'apporte des couvertures.

– Mais… et Rose ? protesta faiblement Gabrielle.

– Elle t'attendra, je te le promets.

Elle n'opposa plus aucune résistance.

Envol

UNE MAIN secoua Gabrielle, qui se déroba. Elle était fatiguée, si fatiguée! Elle ne souhaitait que dormir. La main insistait. Elle fut contrainte d'ouvrir les yeux, qu'elle referma aussitôt, éblouie par le soleil levant qui apparaissait dans la baie vitrée. En contre-jour, un visage… Elle plissa les yeux, histoire de mieux discerner ses traits. Ah! Léo! Que faisait-il chez elle?

Gabrielle se redressa d'un coup, si vivement qu'elle ressentit un étourdissement. Tout lui revint en mémoire: Rose, l'endroit où elle se trouvait, la poussée de fièvre. Rien qu'à voir l'expression angoissée du médecin, elle sut que le moment tant redouté approchait. En moins d'une minute, ils étaient rendus devant la porte de la chambre de Rose. Cette dernière disparaissait dans ses draps et leur tournait le dos.

Incapable d'entrer et d'affronter son regard, elle préféra attendre dans le couloir, dans la crainte du diagnostic.

– C'est une question d'heures. Nous ne pouvons plus rien maintenant, affirma le médecin avec des sanglots dans la voix. La poussée de fièvre de cette nuit l'a laissée très affaiblie.

Même si la jeune fille s'y attendait, ce fut tout de même un choc.

À ce moment, Ben, qui sortait de l'ascenseur, rejoignit Gabrielle.

– C'est ton médecin qui m'a téléphoné. Il ne faut pas lui en vouloir, il a pensé que tu aurais besoin de soutien. Je suis venu aussi vite que j'ai pu. Tu ne vas pas la voir? ajouta-t-il en pointant la porte de la chambre.

D'un seul coup, toutes les bonnes résolutions et la force de caractère qu'elle croyait avoir acquise s'envolèrent. Elle n'était plus sûre de rien.

– Pourquoi? Pour gâcher les beaux souvenirs que j'ai d'elle? Pas question. Les dernières images sont celles qui marquent le plus, crois-moi.

Elle se dirigea vers l'ascenseur.

– C'est ridicule! se révolta Ben en se mettant en travers de son chemin. Mets-toi à sa place! Ce sont ses derniers moments que tu gâches!

Troublée par la justesse des paroles de Ben, qu'elle avait rarement vu en colère, Gabrielle s'arrêta net et se laissa brutalement tomber sur une chaise en enfouissant sa tête dans ses mains.

– Tu as raison, lança-t-elle en se rendant à l'évidence.

– Ce n'est pas parce que tu refuses de regarder les choses en face qu'elles n'en sont pas moins réelles.

Elle se tourna vers Ben en se tortillant les mains. L'émotion lui serrait la gorge et elle devait faire un effort considérable pour ne pas perdre son stoïcisme.

– Si tu ne vas pas la voir maintenant, tu vivras toute ta vie avec le regret de ne pas lui avoir dit adieu.

– Je sais, tu as raison. Encore une fois. Merci, Ben, lui dit-elle en pressant sa main dans la sienne. Tu feras un excellent psy.

– Tu es ma première patiente et ma préférée, tu sais? lui murmura Ben en essuyant délicatement ses larmes avec ses pouces.

Il prit sa tête entre ses mains puis, lentement, effleura les joues de Gabrielle de ses lèvres, puis glissa sur son nez, et sur sa bouche. Ce fut un baiser léger, aussi furtif qu'un vol de papillon, mais qui réussit toutefois à calmer les sanglots de la jeune fille, qui finirent par se dissiper complètement.

– Tu as toujours le bon mot au bon moment...

Elle prit Ben par la main et l'entraîna avec elle.

Lorsqu'elle entra enfin dans la chambre, l'atmosphère était lourde. Sa gorge était nouée et sa poitrine, enserrée comme dans un étau.

Elle s'agenouilla de l'autre côté du lit, et prit la petite main brûlante de Rose dans la sienne. Son père prit l'autre main de sa fille et Ben celle de Gabrielle.

– Perce-Neige, je crois qu'il est temps que je te dise adieu.

En entendant le surnom qu'elle affectionnait tant, la fillette cligna des yeux et sourit en sentant Gabrielle glisser une fleur séchée entre les doigts.

– Comment t'as fait ?

Sa voix était à peine audible.

– Tu sais le collier que tu aimes tant ? murmura-t-elle, les larmes aux yeux. C'est ce qu'il renfermait. Je voulais te dire merci, merci de tout ce que tu m'as apporté. Notre rencontre n'aurait pas pu mieux tomber. Tu m'as redonné goût à la vie, tu peux en être fière, poursuivit Gabrielle. Maintenant, il est temps de se dire adieu, Perce-Neige. Je t'aime, je ne t'oublierai jamais.

– Au revoir, pas adieu.

Les mots de la fillette n'étaient plus que l'ombre d'un murmure à présent, et Gabrielle dut se pencher pour les entendre.

– Au revoir, souffla Gabrielle, la voix étranglée par l'émotion.

– Au revoir. Et souviens-toi : les perce-neige ne fanent jamais, Gabrielle.

Lorsqu'elle reposa la main inerte sur le lit, les larmes coulaient sur ses joues et elle ne fit rien pour les retenir, cette fois. Un sourire illuminait le visage de la fillette. Sa poitrine cessa soudain de se soulever.

Perce-Neige s'était éteinte avec grâce.

Épilogue

– Tiens, regarde.

En souriant, Gabrielle tendit à Ben une feuille couverte d'une écriture soignée. Elle l'avait trouvée dans le tiroir de la commode de Rose en vidant la chambre avec Léo. Cette découverte avait été un moment lourd d'émotions, et Gabrielle en connaissait chaque mot par cœur :

Ce qui va me manquer :

– Papa et ses grandes mains qui peuvent tout faire

– Lou-Ann et toutes mes amies

– La première neige et les flocons qu'on attrape avec la langue

– Le bruit du vent dans les feuilles

– Les batailles de boules de neige au pied de l'Aiguille du Midi en juin

– Les soirées passées devant la télé à manger des guimauves

– Les petits-déjeuners au lit le dimanche

– Papa qui essaie de pêcher sans jamais rien attraper

– La dame de la poissonnerie où on va après les parties de pêche ratées

– Les sandwichs à la mortadelle
– Monter en courant les marches de la cathédrale

La liste continuait ainsi sur les deux côtés de la page, pleine de petits moments du quotidien que chacun a tendance à oublier d'apprécier avec le temps. Seule l'urgence, l'imminence de la mort avait tendance à nous les rappeler, s'était désolée Gabrielle. Le dernier élément lui avait fait chaud au cœur. Écrit tout en bas, il y avait :
– Gabrielle
Tout simplement.

Remerciements

Je tiens à remercier tous ceux qui m'ont, directement ou non, aidée tout au long de cette aventure. Tout d'abord, merci à mes parents et à mes grands-parents pour la confiance aveugle qu'ils m'ont témoignée, ainsi que pour leurs encouragements assidus. Toutes les familles heureuses le sont de la même manière, disait Tolstoï. Si cela est vrai, alors la nôtre a su trouver la recette du bonheur grâce à vous deux. Merci également à mon parrain et à ma marraine pour leur soutien, vous êtes mon simili-Suisse et mon hémato-oncologue préférés ! Merci à Marianne pour ses conseils avisés et à tous mes amis pour leur présence et leur appui au quotidien. Vous ne le savez peut-être pas, mais c'est de vous que je puise mon inspiration et la force d'insuffler la vie à mes personnages. Toute ressemblance n'est pas nécessairement fortuite !

Table

Collection « Ado »